"Ne jouez pas non plus aux vierges outragées!"

"A votre avis, Lucia, pourquoi vous ai-je embrassée?" poursuivit Nicolas.

"C'est du passé. N'en reparlons plus, je vous prie," répondit-elle sèchement.

"J'exige une réponse," insista Nicolas.

"Eh bien…Je suppose que vous l'avez fait pour les mêmes raisons que vous n'avez cessé de vous moquer de moi pendant tout mon séjour…Vous n'êtes pas habitué à ce qu'une femme vous résiste."

Nicolas regarda la jeune femme droit dans les yeux: "Vous me croyez si bête que ça? Hier, j'ai commis une erreur, je n'aurais pas dû vous faire mal," poursuivit-il en prenant les poignets encore rouges de Lucia, "mais le reste n'était pas entièrement de ma faute… Vous m'y aviez encouragé…"

Ces titres sont disponibles chez votre dépositaire.

La clairière de l'hiver

par

ANNE WEALE

Harlequin Romantique

PARIS · MONTREAL · NEW YORK · TORONTO

Publié en juin 1980

ISBN 0-373-41005-0

Dépôt légal 2e trimestre 1980
Bibliothèque nationale du Québec et Bibliothèque nationale du
Canada.

Imprimé au Canada—Printed in Canada

A la sortie du cinéma, par une nuit glaciale de février, Lucia Gresham frissonna et releva le col du vieux pardessus élimé qu'elle portait depuis trois ans. Elle avait bien projeté de s'en acheter un autre pendant les soldes de janvier, mais à l'époque, Cathy, sa jeune sœur, s'était entichée d'un petit boléro en lamé. Il ferait sensation le soir du réveillon, disait-elle. Aussi, Lucia remit à l'automne suivant l'achat d'un nouveau manteau.

Elle était institutrice au nord de Londres, dans la plus triste des banlieues. Elle y avait passé la majeure partie de sa vie. Elle enseignait à une quarantaine de garnements âgés de six ans et s'en tirait avec une aisance et une patience qui faisaient l'admiration de toutes les mamans de ces chers petits. Par contre, sa sœur cadette, âgée de vingt ans, lui causait beaucoup plus de soucis et lui avait occasionné déjà plus d'une nuit blanche.

Hâtant le pas vers le vieux pavillon bâti dans un style victorien, et datant de l'arrière-grand-père Gresham, Lucia soupira une fois de plus en songeant à sa jeune sœur.

Si seulement Cathy pouvait tomber amoureuse d'un jeune homme sérieux qui l'aiderait à se stabiliser. Mais, pour l'instant, elle semblait s'évertuer à les repousser tous, et à rechercher, au contraire, la compagnie de garçons plutôt écervelés. Voir Cathy gâcher sa vie devenait la hantise de Lucia. Mais comment l'en empêcher! Chaque nouvelle intervention ne faisait qu'empirer les choses.

Le cinéma n'était pas très loin de la petite rue tranquille où elles habitaient toutes deux. En arrivant devant les grilles de Mayrose, Lucia s'alarma : une voiture était garée le long du trottoir. Le véhicule ne passait pas inaperçu : il s'agissait d'une rutilante Lancia Flamina bleue décapotable.

Depuis déjà plusieurs années, le premier étage de Mayrose était habité par un jeune couple, Peter et Janet Sanders. Ils avaient un petit garçon de trois ans, et il arrivait souvent à Lucia de le leur garder. Cette voiture n'avait rien à voir avec eux. Leurs amis arrivaient toujours en Mini. Aussi la Lancia ne pouvait-elle appartenir qu'à l'une des conquêtes de Cathy.

Lucia sentit sa colère monter. Ainsi le jeune homme à la Jaguar rouge n'avait pas suffi! Elle pouvait s'attendre au pire, à présent, avec le conducteur de cette superbe Lancia.

Elle entra par la porte de derrière, ôta son pardessus et l'accrocha à un cintre, en frissonnant. Il y avait un courant d'air glacial dans la véranda. Arrivée dans la cuisine, elle se fit chauffer du café.

Cette pièce possédait deux portes. La première, celle par laquelle Lucia était entrée, donnait sur la véranda; la seconde ouvrait sur le couloir. Une fois son café chaud, la jeune femme poussa la deuxième porte, s'attendant à entendre des voix dans le salon.

Mais rien. Aucun bruit. Intriguée, elle traversa le couloir. Sur la rampe de l'escalier, avaient été négligemment posés un pardessus d'homme et une écharpe en soie. A côté de la porte qui donnait dans le salon, sur une petite table, se trouvait une paire de gants comme en portent parfois les coureurs automobiles : en peau très fine, laissant les phalanges libres.

Le silence était total. On n'entendait ni voix, ni musique. Le premier réflexe de sa sœur était pourtant de se précipiter sur le tourne-disque ou sur la radio, dès qu'elle entrait dans la maison. Mais même si ce silence avait quelque chose d'étrange et d'inhabituel, Lucia ne s'attendait pas au spectacle qui s'offrit à ses yeux, lorsqu'elle poussa la porte.

Seule était allumée la lampe d'ambiance près du canapé, en face de la cheminée. Cathy y était allongée. Une jupe exceptionnellement courte dégageait entièrement ses jambes longues et fines. La partie supérieure de son corps était entièrement cachée par la tête brune et les larges épaules d'un homme penché sur elle. Il l'embrassait.

De façon évidente, Lucia les dérangeait. Sa première réaction fut de se rejeter en arrière dans l'espoir de ne pas avoir été vue. Mais au sentiment de gêne qui s'était d'abord emparé d'elle, fit bientôt place la colère. Comment Cathy pouvait-elle permettre à un homme de se comporter de la sorte avec elle? La semaine précédente, elle était encore dans les bras de Roger, le garçon à la Jaguar.

Elle n'eut pas le temps de parler. L'homme avait relevé la tête, et Cathy poussa un cri d'effroi.

— Lucia! s'écria-t-elle stupéfaite, en se dégageant aussitôt des bras de son compagnon... Tu m'as fait une de ces peurs! Que fais-tu là si tôt? Je croyais que tu ne devais pas rentrer avant onze heures.

Lucia ne répondit pas. Elle se contenta d'allonger le bras pour allumer l'abat-jour. Puis elle jeta un coup d'œil désapprobateur sur la chevelure en bataille de sa sœur et dévisagea l'homme d'un regard hostile, qui, espérait-elle, ne lui échapperait pas.

Entre-temps, il s'était relevé mais ne semblait nullement partager la gêne de Cathy. Réajustant sa cravate, il retourna à Lucia son regard glacial, comme si elle les avait trouvés en train de discuter de la pluie et du beau temps.

Son aplomb ne faisait qu'accroître le sentiment d'antipathie qu'il avait suscité chez la jeune femme. Tout homme poli, pensait-elle, aurait au moins pris la peine de paraître gêné. Mais non seulement il semblait tout à fait à son aise, mais il eut aussi l'audace de s'avancer vers elle, et de lui tendre la main en disant :

— Nicolas Curzon. Enchanté.

Lucia ignora son geste.

— Bonsoir, répondit-elle d'un ton glacial.

Puis, se tournant vers Cathy, elle ajouta :

— Va préparer le café pour demain, s'il te plaît.

En temps normal, Cathy aurait réagi violemment et aurait rétorqué à sa sœur d'aller le faire elle-même. Mais cette fois, elle s'empressa d'obéir sans broncher. Lucia et Nicolas Curzon restèrent seuls dans la pièce.

— Vous semblez gelée, commença celui-ci, en souriant à Lucia. Venez vous réchauffer près du feu. Il fait sacrément froid, ce soir, vous ne trouvez pas?

Les mains de la jeune femme étaient glacées, en effet. Elle obtempéra, mais décidée à ne pas se laisser amadouer par le ton affable de son interlocuteur.

— Oui, répondit-elle sèchement, en s'asseyant dans le rocking-chair.

Il orienta le radiateur électrique vers elle, puis se releva et jeta, pour la première fois sans doute, un regard autour de la pièce.

L'éclairage de l'abat-jour mettait en valeur la hauteur du plafond de la pièce dont les murs n'avaient pas été tapissés depuis la guerre. Une fois par mois, Lucia passait l'aspirateur sur la moquette décolorée par le temps, et, chaque printemps, elle montait sur l'escabeau pour dépoussiérer la cantonnière qui courait en haut des rideaux de brocatelle. Mais les deux sœurs venaient rarement s'asseoir dans le salon. Cathy n'était guère à la maison, et Lucia, lorsqu'elle avait le temps de se reposer, préférait le faire dans la bibliothèque de son arrière-grand-père, de l'autre côté du couloir. La salle à manger et le petit salon servaient à présent de chambres, et le vestiaire, au rez-de-chaussée, avait été transformé en salle de bains.

— C'est une pièce de toute beauté! s'exclama Nicolas

8

Curzon, en se dirigeant vers un petit secrétaire français bâti sur pilastres, de l'autre côté du salon.

C'était le seul meuble de valeur qui restait dans la maison. Lucia préférait ne pas songer au jour où il lui faudrait s'en séparer. Elle fut surprise par le coup d'œil expert de Nicolas.

Tandis qu'il était penché sur le secrétaire, Lucia l'observa. Il n'était pas grand; il n'était pas vraiment beau, non plus. Comment Cathy avait-elle pu tomber amoureuse de lui? Il n'était pas son genre. Sa chevelure brune, son nez long et droit étaient probablement dus à des origines étrangères. Réflexion faite, il n'était même pas beau du tout, avec son menton saillant et son nez de Polichinelle.

Il revint vers Lucia en souriant légèrement; l'antipathie de la jeune femme semblait l'amuser. Leurs regards se croisèrent. Celui de Nicolas était pétillant. Non sans un certain trouble, Lucia prit alors conscience qu'il échappait, en fait, aux critères habituels de la beauté. Pourquoi? Elle n'aurait su l'expliquer, mais une chaleur étrangement envoûtante, émanait de ce visage. Soudain, elle prit peur. S'il le désirait, le charme et la fortune de cet étranger pouvaient devenir les instruments fatals de la chute de Cathy.

Lucia refusa la cigarette qu'il lui offrait. Elle ne fumait pas. Il fallait se débarrasser de lui, mais comment?

— Cathy et vous, êtes tout à fait différentes, reprit-il après un long silence.

— Nous ne sommes que des demi-sœurs, expliqua-t-elle, ma mère est morte à ma naissance. Mon père s'est remarié avec la mère de Cathy.

Lucia ne s'expliquerait jamais pourquoi ce dernier avait épousé une créature comme Connie. Ils n'avaient pas été heureux ensemble. C'était sans doute la raison pour laquelle il avait passé la plus grande partie de sa vie loin de chez lui.

9

— Depuis combien de temps connaissez-vous ma sœur, monsieur Curzon?

— Je l'ai rencontrée au Maybury, la semaine dernière.

C'était un hôtel des quartiers chics de Londres. Cathy y travaillait comme fleuriste.

— En quelque sorte, vous l'avez cueillie!

Il fronça légèrement les sourcils, mais ne répondit pas. Il était difficile de lui donner un âge. Il devait avoir la trentaine. Dix ans de plus que Cathy!

— Que faites-vous dans la vie, Miss Gresham? demanda-t-il soudain en changeant de conversation.

— Je suis institutrice. Et vous?...

... Mis à part courir les hôtels, eut-elle envie d'ajouter.

Il s'occupait d'une usine de parfums. S'en occupait-il vraiment, ou bien laissait-il à d'autres le soin de le faire, pendant que lui se chargeait de dépenser sa fortune en voitures de luxe et en dîners coûteux avec des jeunes filles comme Cathy?

Celle-ci revint avec du café. Elle s'était recoiffée.

— Nous allons rejoindre des amis, dit-elle, en s'adressant à sa sœur d'un ton qui n'admettait aucune opposition.

Lucia ne broncha pas. Quel droit avait-elle de le lui interdire? Sa mère elle-même ne l'aurait pas fait; au contraire, d'ailleurs...

— Voulez-vous venir avec nous? proposa Nicolas Curzon, de façon tout à fait inattendue.

— Oh, Lucia a horreur de sortir, répondit immédiatement Cathy. Au fait, où est notre cher Bernard? demanda-t-elle en se tournant vers sa sœur.

— Il était enrhumé, il a préféré rester chez lui.

Cathy eut un sourire amusé. Elle méprisait Bernard. Lucia elle-même trouvait qu'il manquait un peu de fantaisie et d'imagination; mais ils avaient un point en commun : leur métier. C'était mieux que rien. Chaque vendredi, ils allaient au cinéma, puis dînaient au restaurant chinois.

— Ah, c'est pourquoi tu es rentrée si tôt, reprit Cathy, tu n'as pas osé aller chez Soo Chow toute seule!

Lucia rougit mais ne répondit pas. C'était ridicule, elle le savait; mais c'était plus fort qu'elle. Ses scrupules étaient d'autant moins fondés qu'elle n'était pas le genre de femme que l'on accoste dans la rue.

— Je ne vous aurais pas crue si timide, Miss Gresham, fit Nicolas Curzon avec un sourire moqueur.

— Je ne le suis pas! répliqua vivement Lucia, je suis simplement un peu démodée... Où habitent les amis dont tu me parlais, Cathy? Tu les connais bien?

L'intéressée eut une expression agacée. Elle n'était plus une enfant! Maquillée et apprêtée comme elle l'était, elle aurait même pu passer pour la sœur aînée.

Nicolas Curzon rit et prit la main de Cathy entre les siennes.

— Vous ne m'aviez pas dit que vous habitiez avec votre ange gardien!

Cathy ne sut s'il plaisantait. Elle eut un petit sourire gêné. Il se tourna alors vers Lucia.

— Ce sont mes amis, Miss Gresham. Ils sont tout à fait respectables. Vous n'avez rien à craindre; la soirée ne se terminera pas en orgie! Et si cela peut achever de dissiper vos soupçons, sachez que je ne suis pas marié et que je ne bois jamais avant de conduire. Si, toutefois, je ne vous ai pas convaincue, il ne me reste plus qu'à vous proposer de nous accompagner.

Lucia fut tentée de le prendre au mot; mais à quoi bon? Cela ne ferait qu'empirer les choses. Cathy serait capable de faire ses valises et d'aller s'installer en ville, comme elle l'en menaçait dès qu'elles avaient une dispute.

Non pas qu'elle fût capable de vivre seule. Elle était tout à fait inconsciente des contingences matérielles. Livrée à elle-même, elle aurait infailliblement accompli

11

le suprême acte de folie dont Lucia essayait de la préserver depuis plusieurs années.

— Ce ne sera pas nécessaire, monsieur Curzon. Mais en rentrant, ne réveillez pas nos locataires. Madame Sanders attend un bébé.

— Ne vous inquiétez pas, Miss Gresham.

Il regarda sa montre. Il était temps de partir. Il fit signe à Cathy et prit congé de Lucia avec la même courtoisie amusée.

— Bonsoir, Miss Gresham. J'espère avoir le plaisir de vous rencontrer à nouveau.

Après leur départ, Lucia ramena les tasses dans la cuisine. Janet Sanders fit irruption en haut de l'escalier.

— Vous venez prendre une tasse de thé avec moi, Lucia? Je ne suis pas encore couchée... et puis, ajouta-t-elle, n'y tenant plus... vous me direz à quoi ressemble la dernière conquête de Cathy!

La jeune femme accepta. La solitude lui pesait, ce soir. Elle monta rejoindre Janet.

— Je ne sais plus comment faire, Janet. Elle connaît cet homme depuis à peine une semaine et elle sort déjà avec lui. Je les ai trouvés en train de s'embrasser, quand je suis entrée dans le salon. Elle ne sait rien de lui!

Aux yeux de Janet, Cathy était une enfant gâtée. Il ne lui serait jamais venu à l'idée d'aider sa sœur à faire le ménage ou à entretenir le jardin. Janet ne l'admettait pas. Elle prenait la maison pour un hôtel et Lucia pour sa bonne. Elle ne partageait aucun frais avec elle et lorsqu'elle n'avait plus un sou, elle venait lui en emprunter. Lucia se négligeait trop; elle n'avait pas un vêtement décent à se mettre sur le dos. Cependant, elle n'était pas moins jolie qu'une autre. Lorsqu'il arrivait à son regard souvent fatigué de s'éclairer, et qu'un large sourire venait illuminer son visage, elle avait même beaucoup de charme.

— Vous vous occupez bien trop d'elle, Lucia. Après tout, elle a vingt ans et s'il elle veut courir le risque de gâcher sa vie, c'est elle que ça regarde!

— Vous avez peut-être raison, soupira la jeune femme, mais elle est si superficielle, Janet. Elle pense uniquement à s'amuser et à sortir...

— Elle n'a peut-être pas tort. Nous sommes tous différents, Lucia. N'essayez pas d'imposer vos idées aux autres. Nous avons tous une conception différente du bonheur. Certains rêvent d'avoir une plus grosse machine à laver, d'autres de gravir des montagnes, ou d'aller en Australie, le mien serait de nous offrir une petite maison de campagne... Vous ne changerez rien à la nature de Cathy; elle ne vous ressemblera jamais...

— Je ne veux pas qu'elle me ressemble. Je souhaite seulement son bonheur.

— Et le vôtre? N'est-il pas aussi important?

— Mais je suis heureuse, répliqua-t-elle vivement.

— En êtes-vous sûre, Lucia?

Janet semblait sceptique. Elle décida d'être franche. Son mari et elle habitaient Mayrose depuis près de deux ans, ils avaient donc connu Connie Gresham de son vivant et avaient vu la façon dont celle-ci se comportait avec sa belle-fille. Elle n'avait pas été à proprement parler injuste, mais elle avait toujours montré une préférence évidente pour Cathy. Elle s'était servie de Lucia, sans jamais lui offrir son affection en retour.

Aujourd'hui, Cathy l'exploitait comme sa mère elle-même ne l'avait jamais fait. Cela devait changer.

— Pourquoi ne partez-vous pas faire un voyage, cette année? proposa Janet, vous en rêvez depuis toujours...

— Et laisser Cathy seule ici?... Vous n'y pensez pas, Janet!

— Et pourquoi pas? Elle est assez grande pour se faire à manger toute seule. Si cela peut vous rassurer, nous veillerions sur elle discrètement.

La jeune femme parlait d'un ton persuasif mais au fond, elle connaissait parfaitement la réponse de Lucia.

— C'est très gentil à vous, Janet. Mais c'est impossible, vous avez déjà fort à faire avec le bébé.

Entêtée, la jeune femme proposa alors à Lucia d'emmener Cathy avec elle.

— Elle a des goûts de luxe. Elle n'accepterait jamais de s'arrêter dans des pensions modestes, répliqua sèchement Lucia. Nous ne réussirions qu'à nous gâcher mutuellement nos vacances...

— Il est grand temps qu'elle apprenne à mettre de l'eau dans son vin, vous ne trouvez pas?

La remarque était grinçante, mais la jeune femme comprenait parfaitement Lucia.

Le lendemain matin, un samedi, Cathy fit la grasse matinée jusqu'à onze heures. Lucia avait eu le temps d'aller au marché, de repasser le linge, de faire les carreaux du salon, et de préparer le déjeuner.

Elle prenait deux minutes de repos, lorsque Cathy fit irruption dans la cuisine, vêtue de son déshabillé noir bordé de cygne. Lucia mit du café à chauffer, et demanda des nouvelles de la soirée de la veille. La jeune fille n'en paraissait pas enchantée. La moyenne d'âge des invités avait été assez élevée.

— M. Curzon n'est plus très jeune non plus, remarqua Lucia.

— Oh, les hommes ne me dérangent pas, répondit Cathy, en avalant son jus de citron quotidien, ce sont surtout leurs femmes. Il y en avait une qui portait une robe magnifique, hier soir; mais c'était vraiment gâcher la marchandise! Elle avait la peau des bras qui pendait et la tête d'une tortue! Pas étonnant que leurs maris les trompent.

— Il n'y a pas que la beauté qui compte. Et puis les hommes aussi vieillissent mal, parfois.

— Possible, mais je n'admets pas que l'on se laisse aller. Je ferai toujours tout pour garder la même ligne.

Cette intransigeance exaspérait Lucia et Cathy le sentit. Elle essaya de l'énerver davantage. Elle s'assit sur le coin de la table, eut un petit sourire ironique, et reprit :

14

— Tu ne me fais pas la morale, à propos de Nico?

Le café était chaud. Lucia éteignit le gaz, et se retournant légèrement, répondit calmement :

— Pourquoi? Cela changerait quelque chose?

— Absolument rien, en effet, répliqua l'autre sèchement, mais je t'avertis, si tu recommences la scène d'hier soir, je quitte la maison!

— Je sais, tu me l'as déjà dit...

— Cette fois, je le ferai. Tu n'as pas le droit de me donner des ordres! Tu me prends encore pour une gamine?

— Tu n'es pas honnête! Je ne t'ai jamais rien imposé. Et si je l'ai fait un jour, c'était uniquement pour ton bien.

— Ne t'inquiète pas pour moi! je suis assez grande pour m'en occuper toute seule.

— Margaret aussi le croyait, s'écria Lucia, se souvenant de l'une de leurs amies. Et vois le résultat!

— Margaret s'est comportée comme une idiote! Elle a eu la bêtise de tomber amoureuse! Je ne commettrai pas cette erreur.

— Que veux-tu dire?

— Je ne crois pas au grand amour. Il dure quelque temps, et puis un jour, on se retrouve à jouer les nounous et les femmes de ménage... Très peu pour moi. Pour me marier, il me faudra des garanties « matérielles » : une jolie maison, une garde-robe variée et l'assurance de sortir au moins trois fois par semaine.

Lucia paraissait outrée par le ton convaincu de Cathy.

— ... et Nico pourrait très bien faire l'affaire, ajouta-t-elle négligemment.

Puis, descendant de la table, elle jeta un coup d'œil à la pendule, et reprit :

— Au fait, je ne mangerai pas là, à midi; Nico passe me prendre à la demie, nous allons déjeuner au Hind's Head, à Bray.

Elle sortit de la cuisine et partit se préparer.

Lucia prit donc son repas en solitaire. Puis, comme elle en avait souvent l'habitude par les longs après-midi d'hiver, elle alluma un feu dans la bibliothèque et s'installa confortablement dans le Chesterfield. L'atmosphère était idéale pour resonger aux nombreux récits de voyages de son père.

M. Gresham avait été correspondant de guerre. Lors de ses multiples pérégrinations, il était tombé sous le charme des îles grecques, et son rêve avait été de retourner s'y fixer avec Lucia, une fois les études de celle-ci terminées. Il aurait passé le reste de sa vie à écrire ses mémoires.

Pourvu qu'il continuât à lui verser une pension alimentaire, Connie Gresham n'y avait vu aucun inconvénient. S'il ne l'avait pas quittée plus tôt, c'était uniquement pour Lucia. Il s'intéressait peu à Cathy, elle n'avait rien de lui.

Peut-être auraient-ils effectivement vécu à Hydra... Mykonos... ou dans une tout autre île de la mer Egée, si la mort n'avait pas emporté Malcom Gresham dans un stupide accident d'auto. L'ironie du sort avait voulu qu'il se tue en rentrant de l'un de ses périlleux reportages, entre l'aéroport de Londres et chez lui.

Pourtant, cet après-midi-là, Lucia ne songea pas à son père; le comportement de Cathy et ses récentes affirmations lui tenaient trop à cœur.

Avait-elle été sincère en parlant de « garanties matérielles »? Etait-il possible qu'elle épouse — non pas un homme — mais une façon de vivre? En outre, Lucia pensait que Nicolas Curzon ne songeait nullement au mariage; il s'amusait, sans plus.

Vers quatre heures, elle raviva le feu, et alla se préparer une tasse de thé. Elle se sentait un peu lasse; elle n'avait pas beaucoup dormi la nuit précédente. En revenant dans la bibliothèque, elle s'allongea sur le canapé et s'endormit.

Lorsqu'elle se réveilla, le feu était éteint. Elle bâilla, et se frotta les yeux.

— Bonsoir, fit soudain une voix, derrière les rideaux.

Nicolas Curzon alluma la lampe qui se trouvait à côté de la chaise où il s'était assis, et jeta le reste de sa cigarette dans la cheminée. Que faisait-il là ?! Lucia n'en croyait pas ses yeux.

— Cathy est rentrée se changer. Je l'attendais en vous regardant dormir. Vous sembliez si loin que je n'ai pas osé vous réveiller, expliqua-t-il aimablement en se levant pour raviver le feu comme l'aurait fait un vieil ami de la famille.

Lucia en profita pour se recoiffer rapidement. Il était sept heures. Elle avait dormi pendant plus de deux heures. Depuis combien de temps l'observait-il ainsi? se demanda-t-elle vexée. Devinant sa pensée, il répondit :

— Ne vous inquiétez pas... Vous ne dormiez pas la bouche ouverte et vous n'avez presque pas bougé. Vous rêviez?

— Je... Je ne m'en souviens pas...

Il s'était levé et se dirigeait à présent vers une aquarelle accrochée au mur.

— C'était à mon père, commenta Lucia, elle représente le port d'Hydra. C'est une île de la mer Egée.

— Je sais. Je l'avais reconnue.

— Vous y êtes déjà allé? demanda la jeune femme soudain intriguée.

— Plusieurs fois... Et vous?

Elle secoua négativement la tête.

— Jamais... mais mon père si. Il aimait beaucoup les îles. Nous y aurions habité s'il n'était pas mort.

— Et les Grecs, les aimait-il?

— Oui... pourquoi?

Une lueur d'amusement passa sur le visage de Nicolas.

— Je suis à moitié Grec moi-même, Miss Gresham... J'ai hérité cela de la mère de mon père, ajouta-t-il, en désignant son nez, ne me dites pas que vous ne l'aviez

17

pas remarqué... J'ai été élevé en Angleterre, mais au fond, je suis plus grec qu'anglais... encore un mauvais point pour moi, je suppose?

— Que voulez-vous dire?

— Vous ne m'aimez pas, Miss Gresham, c'est évident. Rien ne vous pousse à faire le contraire, je sais; mais je serais tout de même curieux de savoir pourquoi vous me détestez autant.

Il avait prononcé ces mots sans la regarder. Lucia avait rougi.

— Si vous êtes si perspicace, monsieur Curzon, vous devriez le deviner.

Il feuilleta rapidement le livre qu'il tenait à la main, puis le replaça sur l'étagère avant de venir se rasseoir près du feu.

— Vous ne pourrez pas toujours surveiller votre sœur comme vous le faites. Si elle n'a aucune cervelle à son âge, elle n'en aura probablement jamais...

— Que feriez-vous si vous étiez à ma place? Accepteriez-vous que votre sœur fréquente un homme de votre âge?

— Cela dépendrait de l'homme en question. Mais il est certain que j'émettrais certaines réserves, ne serait-ce que pour la forme.

— Mais vous n'interviendriez pas? interrogea Lucia, d'une voix agacée et incrédule.

— Non, sauf si l'homme est un goujat...

Il marqua une pause, puis reprit avec une moue ironique sur les lèvres :

— Ce n'est tout de même pas ce que vous pensez de moi, Miss Gresham? Je ne suis pas un Adonis, certes; mais de là à être un satyre...

Il provoquait Lucia du regard. Agacée, elle rétorqua :

— Et pourquoi devrais-je vous faire confiance? Vous connaissez Cathy depuis à peine une semaine, et déjà, la nuit dernière...

— ... Je l'ai embrassée, et alors? interrompit-il, vous avez quelque chose contre les baisers, Miss Gresham?

— Oui, lorsqu'ils ne signifient rien!

— Et que voudriez-vous qu'ils signifient? demanda Nicolas Curzon d'une voix moqueuse.

La colère et le mépris s'emparèrent de Lucia.

— Même si je vous l'expliquais, vous ne le comprendriez pas, monsieur Curzon. Nous ne parlons pas le même langage... Cathy veut se donner de l'importance, pourquoi ne la laissez-vous pas tranquille?... ajouta-t-elle exaspérée.

— Par pure correction, Miss Gresham : je l'ai déjà invitée à dîner...

Il sortit son étui à cigarettes et allait en offrir une à la jeune femme, lorsqu'il se ravisa, un sourire ironique sur les lèvres.

— Ah, j'oubliais... Vous n'avez aucun défaut!

Si elle restait une minute de plus dans la pièce, les choses allaient mal se terminer. Elle avait déjà fait suffisamment de dégâts comme cela en essayant de le dissuader de poursuivre Cathy. Elle ne devait avoir réussi qu'à l'y inciter davantage.

Elle posa la théière sur le plateau et se dirigea vers la porte, décidée à ne plus lui adresser la parole. Mais cela ne semblait pas lui convenir : rapide comme l'air, il précéda le geste de la jeune femme, au lieu de lui ouvrir la porte, il lui bloqua le passage.

— Ne serait-ce pas vos propres faiblesses que vous projetez sur Cathy? Qui sait si au fond de vous, vous ne brûlez pas d'envie de lui ressembler... Vous le nierez, j'en suis sûr, mais je me demande si sous vos apparences de jeune fille bien rangée, vous ne mourez pas d'envie d'être embrassée par un garçon bien plus déluré que vous.

Si elle n'avait pas eu le plateau entre les mains, elle l'aurait giflé, songea-t-elle.

Mais, elle se contenta de serrer les mâchoires sans répondre, supportant jusqu'au petit sourire exaspérant qu'il eut avant de lui ouvrir la porte.

Elle fulminait encore, lorsque Cathy fit irruption dans la cuisine dix minutes plus tard.

— Ne m'attends pas ce soir, je rentrerai certainement très tard... Comment me trouves-tu?

La jeune fille portait un fourreau en soie très seyant et particulièrement moulant. Une fente dans le bas facilitait la démarche. Ses cheveux relevés en chignon mettaient en valeur une magnifique paire de boucles d'oreilles de chez Christian Dior. Avec sa silhouette de mannequin, Cathy était vraiment très séduisante.

— Merveilleuse... répondit sincèrement Lucia avec un accent admiratif dans la voix. Où allez-vous?

— D'abord à l'appartement de Nico, et ensuite, au Hilton, pour dîner.

Lucia sursauta.

— Chez lui?! Tu n'y monteras pas, j'espère? Tu pourrais l'attendre dans la voiture? demanda-t-elle, anxieuse.

— Oh, je t'en prie, ne soit pas si vieux jeu, Lucia. Je monterai avec lui, je voudrais voir dans quel décor il vit, mais je te promets de ne pas y retourner après le dîner.

— Et s'il te demande de dîner chez lui?

— Impossible, il a déjà réservé une table au Hilton. Et puis de toute façon, il y a une bonne chez lui. Je pourrais toujours l'appeler à mon secours s'il se jette sur moi!

Lucia ne plaisantait pas.

— Et si elle est sortie? C'est peut-être son jour de congé...

— Oh, ça suffit, Lucia! s'exclama la jeune fille hors d'elle... Cesse de jouer les rabat-joie! Décidément, Maman était bien plus à la page que toi!... Je n'ai pas le temps de me disputer, je te laisse, Nico m'attend... A demain, lança-t-elle déjà de l'autre côté de la porte, et laissant derrière elle les effluves de « l'Air du Temps » de Nina Ricci.

Vers huit heures, Peter Sanders vint gentiment proposer à Lucia de monter regarder la télévision. Celle-ci déclina son invitation. Elle se sentait fatiguée, et sans savoir trop pourquoi, elle avait envie de pleurer.

Peter était un brave garçon. Lucia l'avait souvent vu réconforter Janet dans les moments difficiles. Il la prenait dans ses bras, et disait :

— Allez, ne t'en fais pas... Ce n'est pas si terrible!...

Seule dans la bibliothèque, Lucia songeait à ces moments privilégiés de tendresse. Elle aussi aurait aimé être réconfortée, parfois. Jamais la solitude ne lui avait autant pesé.

Le lendemain matin, Cathy annonça à sa sœur qu'elle déjeunerait avec elle. Nicolas s'absentait pendant quelque temps. Il allait à New York pour affaires. La nouvelle fit plaisir à Lucia.

Il faisait froid dehors, mais l'air était sec. Après le repas, la jeune femme décida d'aller se promener. Elle proposa à Cathy de l'accompagner. Celle-ci refusa. Elle avait ses ongles à faire.

— Roger passera peut-être te voir, émit Lucia.

Ce dernier avait pris de la valeur à ses yeux, depuis sa rencontre avec Nicolas Curzon.

— J'espère bien que non, répondit la jeune fille en haussant les épaules. Il devenait vraiment pénible ces derniers temps.

La semaine suivante, à la grande joie de Lucia, Cathy resta à la maison tous les soirs. Mais la jeune femme ne pouvait s'empêcher d'être inquiète. Etait-ce le calme qui précédait la tempête? Cathy ne faisait plus aucune allusion à Nico, comme elle l'appelait. C'était étrange.

Le week-end se passa, et lundi arriva. Le soir, Cathy rentra de mauvaise humeur.

— Pourquoi n'avons-nous pas de télévision comme tout le monde? lança-t-elle après le repas.

— Parce que je préfère lire, répondit Lucia, mais je ne t'empêche pas de faire des économies pour en acheter une.

— Il n'y a pas de raison. Tu t'en servirais autant que

moi! Pourquoi veux-tu toujours faire croire que nous avons du mal à joindre les deux bouts? Nos deux salaires et la location des pièces du dessus aux Sanders nous sont largement suffisants. Nous n'avons même pas de loyer à payer!

— Tu oublies les charges et les travaux de ravalement que nous avons prévu de faire.

— Je commence à en avoir assez de vivre dans ce vieux tas de pierres! On ne pourrait pas le vendre et louer un appartement plus moderne et plus agréable?

— Ecoute Cathy, s'exclama Lucia agacée, nous en avons parlé des centaines de fois. Inutile de revenir sur la question. Tu sais très bien que cela nous reviendrait aussi cher. Mieux vaut rester ici jusqu'à ce que l'une de nous se marie.

— C'est bizarre, notre cher Bernard n'a encore jamais mis la question sur le tapis! Elle doit pourtant lui brûler les lèvres, susurra Cathy d'un ton mielleux.

— Ne sois pas idiote, rétorqua froidement Lucia, Bernard et moi sommes seulement des amis, tu le sais.

— Alors tu ne trouves pas qu'il serait temps de faire avancer un peu les choses. Tu ne te marieras jamais sinon! A moins que... tu attendes encore le grand amour! poursuivit-elle, railleuse. On ne sait jamais, un homme beau et fort...!

— J'ai encore le temps à vingt-quatre ans! répondit la jeune femme, rougissant légèrement.

Le soir, dans son lit, la remarque de Cathy ne cessa de lui trotter dans la tête, au point que, ne parvenant pas à fixer son attention sur son livre de chevet, elle finit par éteindre sa lampe.

Cathy n'avait pas cru si bien dire en parlant d'un grand amour. Dès qu'elle avait été en âge d'y penser, Lucia avait toujours espéré qu'un jour, elle rencontrerait l'homme de sa vie. Il la prendrait dans ses bras, et la chérirait à jamais. C'était une question de temps. Il fallait savoir attendre.

Mais, depuis quelques mois, elle commençait à

22

douter. Cathy avait raison. Elle ne voyait aucun homme; et, mis à part ses sorties hebdomadaires avec Bernard, son dernier rendez-vous galant remontait à ses années de collège.

Les paroles de Nicolas Curzon lui revenaient aussi à l'esprit. Non! Elle n'enviait pas Cathy! Non! Plutôt renoncer à l'amour, si ce mot devait être aussi vide de sens qu'il l'était pour sa sœur!

Une seconde semaine s'écoula. L'appréhension de la jeune femme croissait de jour en jour. Nicolas Curzon allait bientôt revenir des Etats-Unis. Que se passerait-il, alors? Peut-être son intérêt pour Cathy serait-il amoindri, se surprenait-elle à penser.

Le vendredi matin, en se réveillant, elle se sentit fiévreuse. Le soir, en rentrant de l'école, elle grelottait. Elle alluma un feu dans la bibliothèque, se fit chauffer un thé et avala deux aspirines. Puis elle remplit une bouillotte d'eau chaude, et se mit au lit sans tarder.

Cathy rentra vers six heures. Elle l'appela d'une voix faible.

— Ne rentre pas surtout; j'ai dû attraper la grippe. Ne le dis pas à Janet, elle voudrait à tout prix descendre. Il ne faut pas. Il est inutile que Peter et Marc l'attrapent aussi. J'ai juste besoin de rester quelques jours au chaud.

Mais le lendemain matin, elle ne pouvait même pas se lever. Alors, Cathy appela Maybury pour leur dire qu'elle ne viendrait pas travailler, puis téléphona au médecin. Celui-ci confirma le diagnostic de Lucia et laissa une ordonnance à Cathy, en promettant de revenir le lendemain.

Le comportement de cette dernière surprit agréablement la jeune femme. Au risque d'attraper le virus, elle ne la quitta pas du week-end. Totalement immobilisée par une fièvre importante et un mal de tête persistant, l'attention sans relâche que Cathy lui porta, permit à Lucia de ne se soucier de rien.

— Tu n'as pas arrêté du week-end, dit-elle gentiment à sa jeune sœur tandis que celle-ci lui passait le gant sur le visage, et lui brossait doucement les cheveux.

— Que veux-tu, je ne suis pas tout à fait inutile! répondit Cathy en souriant.

Lucia répondit à son sourire. Un sentiment depuis longtemps oublié renaissait entre elles.

La grippe avait totalement chassé Nicolas Curzon des pensées de Lucia. Cathy, par contre, y songeait toujours. Elles étaient toutes deux dans la chambre, lorsque, tard dans la soirée, le téléphone sonna. La précipitation et la respiration saccadée avec laquelle Cathy alla répondre édifièrent immédiatement Lucia sur l'évolution des sentiments de la jeune fille.

Dans sa hâte, elle avait laissé la porte de la chambre ouverte. Lucia entendit donc une partie de la conversation. Elle ne put s'empêcher de sourire, en écoutant le ton volontairement détaché de sa jeune sœur. Nicolas avait apparemment fait bon voyage.

La communication dura environ un quart d'heure. Lorsqu'elle revint dans la chambre, Cathy n'y fit pas allusion; mais la lueur qui brillait dans ses yeux était significative. Nicolas Curzon ne l'avait pas oubliée. Adieu les douces soirées où les deux jeunes filles se retrouvaient au coin du feu.

Lundi matin, Cathy retourna travailler. Lucia resta au lit jusqu'à dix heures. Puis, sa température ayant bien baissé, elle se leva et alla allumer un feu dans la bibliothèque. Janet descendit un peu plus tard avec un bol de lait chaud et un bocal de miel.

— Vous n'êtes pas raisonnable, Lucia! s'exclamat-elle, contrariée en la trouvant debout.

— Ne vous inquiétez pas, Janet; je vais beaucoup mieux. Je pense pouvoir retourner à l'école dès demain ou mercredi au plus tard.

La jeune femme eut une moue sceptique. Lucia avait

encore le visage marqué, et la grippe ne disparaissait pas aussi facilement.

Lucia n'avait plus aucun appétit. Cependant, pour faire plaisir à Janet, elle avala tout de même le bol de lait. Elle aurait préféré des fruits, mais il pleuvait; elle ne pouvait décemment pas demander à son amie d'aller lui en acheter.

Bientôt, Janet remonta. Elle ne pouvait pas laisser Marc trop longtemps seul. Lucia sortit son poudrier de son sac à main, et se regarda dans la petite glace. « Marqué »! Le mot était faible. Son visage était pâle, livide. Des cernes sous les yeux lui donnaient un air cadavérique. Soudain, une vague dépressive s'empara d'elle. Deux larmes coulèrent sur son visage, puis tombèrent sur sa vieille robe de chambre.

Elle était sur le point de s'abandonner à ses larmes, lorsqu'elle entendit frapper doucement à la porte. S'attendant à voir entrer Janet, elle s'essuya rapidement les yeux.

— Oui, répondit-elle d'une voix encore chevrotante.

Alors Nicolas Curzon entra. Elle aurait voulu mourir.

— C'est moi, fit-il, en souriant, je n'ai pas voulu sonner, pour vous éviter de vous lever. Je peux entrer? Comment vous sentez-vous, aujourd'hui?

Avant qu'elle eût recouvré ses esprits, il avait refermé la porte derrière lui, déposé un petit paquet sur une chaise, et ôté sa veste en tweed.

— Que... que faites-vous ici? murmura-t-elle, en rougissant, Cathy n'est pas là : elle est partie travailler.

— Je sais. Je suis venu prendre de vos nouvelles. Cathy m'avait mis au courant. En fait, je croyais vous trouver au lit... et... je venais me faire inscrire au nombre de vos gardes-malades, ajouta-t-il avec un sourire espiègle.

Il se mit à défaire l'emballage mouillé des paquets qu'il avait apportés... Des fruits... des livres... et même des disques.

— Vous avez un tourne-disque, n'est-ce pas?

— Cathy en a un, répondit Lucia d'un ton hébété.

Il déposa des pêches grosses comme le poing sur la petite table, à côté du sofa.

— Moi aussi, j'ai eu la grippe... avant Noël. On n'a plus goût à rien, ensuite. Un médecin s'occupe de vous?

— Oui... Oui, il doit revenir aujourd'hui, répondit-elle, encore abasourdie, en regardant tout ce qu'il avait apporté. Je ne sais comment vous remercier...

Il sortit, visiblement amusé par l'air ébahi de la jeune femme.

— Je devine vos pensées. *Timeo Danaos et dona ferentes*... Virgile, l'Enéide, expliqua-t-il.

Puis il traduisit :

— Méfie-toi des Grecs, même s'ils viennent à toi avec des présents... Ai-je tort, ou bien c'est effectivement ce que vous pensiez?

— Je n'avais pas ces idées-là, tout à l'heure, mais à présent, je ne sais plus!

Il éclata de rire, et vint s'asseoir à côté d'elle.

— Mes motifs sont honorables, Miss Gresham. Je suis venu parce que lors de notre dernière rencontre, j'avais manqué... de délicatesse. Vous me pardonnez?

La façon parfaite dont il était habillé rappelait douloureusement à Lucia le négligé de sa propre tenue. Elle referma légèrement sa robe de chambre sur sa poitrine.

— Je l'avais déjà oublié, monsieur Curzon, s'efforçat-elle de répondre, d'un ton le plus détaché possible.

Il connaissait trop les femmes pour la croire. Mais au lieu de ne pas insister, comme l'aurait voulu la galanterie, il ajouta :

— Vous mentez fort bien, Miss Gresham.

La situation était difficile. Les présents qu'il lui avait apportés, mettaient la jeune femme dans l'impossibilité de le renvoyer sèchement. Il la tenait.

Il y eut un silence, pendant lequel Lucia joua avec les bouts de sa ceinture de robe de chambre, tout en faisant

26

mine de ne pas s'apercevoir qu'il observait ses cheveux défaits, son nez non poudré, et ses pantoufles défraîchies.

Elle ne lui pardonnerait pas de l'avoir surprise dans cet état-là. Il aurait pu réfléchir. Peut-être n'y avait-il pas pensé parce que les femmes de son milieu pouvaient se permettre d'être élégantes, même lorsqu'elles étaient malades? Elles se promenaient sans doute dans des déshabillés vaporeux, et cachaient leurs cheveux sous de petits bonnets d'intérieur, en ruché. Cathy en avait un pour mettre par-dessus ses bigoudis. Lucia, elle, n'avait jamais réussi à faire tenir le sien.

Le silence devenait interminable. Ne trouvant rien à dire, la jeune femme se décida à jeter un coup d'œil sur les livres qu'il lui avait apportés. Le premier d'entre eux contenait une série de planches sur la Grèce. Sur la première page, se trouvait une dédicace : « A Nico Chéri. Francesca. »

— Vous allez souvent en Grèce, monsieur Curzon?

— J'espère pouvoir y retourner à Pâques.

Il se pencha vers Lucia et feuilleta le livre. Il s'arrêta sur une photographie représentant un petit port inondé de soleil, et abritant d'adorables *caïques* bercées par des eaux scintillantes.

— Voilà où vous devriez aller vous reposer. Cela vous ferait le plus grand bien. Pas en été, bien sûr, il y fait beaucoup trop chaud... mais à Pâques. C'est le moment de l'année où les températures sont les plus clémentes.

Leurs visages se frôlaient presque. Gênée, Lucia s'écarta légèrement.

— Oh, certainement, se contenta-t-elle de répondre.

A son grand soulagement, il prit enfin congé. Elle n'eut même pas le temps de lui proposer de le raccompagner. Il s'était déjà éclipsé.

Quelques instants plus tard, Janet vint prendre le relais.

— Qu'a dit le médecin, Lucia? Je l'ai...

Ses yeux s'arrêtèrent soudain sur les pêches.

— Des pêches! Ma chère!... Qui vous les a apportées? Bernard Fisher?

Lucia expliqua leur provenance, et Janet ouvrit de grands yeux avant de sourire en disant :

— On dirait qu'il est plus proche de vous, à présent!

— Vous riez, mais vous n'en auriez pas fait autant si un homme vous avait trouvée dans la tenue où j'étais.

— En effet! fit-elle en riant. Il doit être beau garçon, non?

— Que voulez-vous dire?

— Eh bien, s'il ne l'avait pas été, vous ne vous seriez pas souciée de la façon dont vous étiez habillée.

La remarque décontenança Lucia. Pour la première fois, elle en voulut à son amie. Percevant le trouble qu'avait provoqué la visite de cet homme chez la jeune femme, Janet changea aussitôt de conversation.

— Vous n'avez pas faim? Que diriez-vous d'un œuf à la coque?

Le docteur passa vers quatre heures. Il ausculta Lucia, et lui posa toutes sortes de questions. Ne la trouvant pas parfaitement rétablie, il décida de prolonger son arrêt de travail d'une semaine.

De nouveau seule, elle retourna se coucher. Elle se réveilla seulement au retour de Cathy, vers huit heures. Celle-ci avait décidé de ne pas sortir tant que Lucia ne serait pas rétablie. Elle s'étonna devant les pêches, puis, devant les livres et les disques. Lucia réitéra ses explications. Cathy parut étonnée.

— Nico? C'était très gentil de sa part. Combien de temps est-il resté?

— Dix minutes, peut-être. Quand dois-tu le revoir?

— Je ne sais pas encore. Il m'a dit de le rappeler dès que tu irais mieux.

Lucia s'assit sur le bord de son lit.

— Cathy, tu n'étais pas sincère, l'autre jour, en parlant de te marier pour l'argent?

— Oh, Lucia, je t'en prie! Ce n'est pas le moment, et je n'ai pas envie de me disputer.

La jeune femme insista.

— Bien sûr, je le pensais! finit par répondre la jeune fille, avec un soupir exaspéré,... à propos de Nico aussi, je le pensais. Je regrette un peu qu'il ait la peau si mate; mais enfin, il ne faut pas trop en demander! Si je peux, je l'épouserai; mais ce ne sera pas facile, il n'est pas du genre à se marier.

Lucia se laissa retomber sur ses oreillers.

— ... Désolée, chérie, poursuivit Cathy, mais c'est ma vie, après tout. Nos buts ne sont pas les mêmes, c'est tout. Je ne crois pas à toutes ces histoires sur l'amour.

Bientôt, mars arriva; avec lui, la pluie, et les vents froids. Le ciel était gris. Mais pour la première fois de sa carrière, Lucia attendait la fin du trimestre avec impatience. Elle ressentait encore les effets de sa grippe. Elle se couchait tôt et se réveillait fatiguée. Elle n'avait goût à rien, n'attendait rien. Il ne cesserait jamais de pleuvoir, songeait-elle tristement.

Cathy revoyait à nouveau Nicolas Curzon une ou deux fois par semaine. Lucia s'y était résignée.

Un matin, la jeune fille la sortit de sa léthargie habituelle, en faisant irruption comme une bombe, dans la cuisine. Il y avait du nouveau dans l'air, sinon elle n'aurait jamais été aussi matinale.

— J'étais trop excitée pour dormir, expliqua-t-elle en voyant l'air étonné de Lucia.

— Excitée... Il ne t'a pas demandé de...

— De l'épouser? Non, pas encore! Mais il m'a fait une proposition... Non... pas celle que tu crois, s'empressa-t-elle d'ajouter, en voyant Lucia pâlir... Il veut m'emmener avec lui, en Grèce, aux prochaines vacances de Pâques.

— Cathy! Tu n'y penses pas! s'exclama aussitôt Lucia.

— Il s'attendait à ta réaction! poursuivit la jeune fille, n'y tenant plus. Alors, il te propose aussi de nous accompagner...

2

Avril en Grèce! Instinctivement, la jeune femme vit à nouveau défiler devant ses yeux les paysages paradisiaques entrevus sur le livre que Nicolas lui avait apporté. Elle se voyait déjà se prélassant sur une plage illuminée de soleil, puis se baigner, et enfin, goûter les succulents plats grecs dont son père lui avait si souvent parlé.

— C'est hors de question! lança-t-elle soudain, remettant les pieds sur terre.

— Hors de question?! s'exclama Cathy, les sourcils froncés... Je le savais, je me doutais que tu refuserais! D'accord! Mais donne-moi une seule raison valable!

— Je pourrais t'en donner des douzaines. La plus évidente est que nos moyens financiers ne nous le permettent pas!

— Mais nous n'aurions à économiser que le prix du billet d'avion. Cela nous reviendrait tout au plus à trois cents livres.

— Il se trouve que je n'ai pas trois cents livres. Et même si je les avais, je ne les dépenserais pas pour me payer des vacances... Souviens-toi, nous avons prévu de faire ravaler la façade.

— Je me moque pas mal que Mayrose tombe en ruine. De toute façon, je n'y vivrai plus longtemps. Si c'est l'argent qui te gêne, nous pourrions vendre le petit meuble du salon. Nous en tirerions un bon prix.

— Ce n'est pas seulement une question d'argent. C'est aussi une question de principes!

— De principes! Veux-tu me dire quel mal il y aurait à aller passer quelques jours avec des amis?

— Des amis? Qu'en sais-tu? Il n'y aura peut-être que vous deux.

— Pourquoi penses-tu toujours au mal? s'écria la jeune fille excédée,... Si Nico avait voulu me débaucher, il aurait essayé depuis longtemps! Le fait qu'il ne l'ait pas encore fait me laisse à penser que je suis sur la bonne voie. Depuis un certain temps, son comportement a été exemplaire! Peut-être pas de ton point de vue, mais du mien, si...

Elle s'interrompit, puis reprit d'un ton décidé :

— De toute façon, avec toi ou sans toi, je ferai ce voyage... Et tu ne m'en empêcheras pas! Je vais commencer à faire mes économies et à me renseigner sur les prix.

Sur ces mots, elle quitta la pièce, en claquant la porte derrière elle.

L'après-midi, en rentrant de l'école, Lucia relata la scène à Janet. Mais la réaction de celle-ci ne fut pas celle escomptée.

— Et pourquoi refuser l'invitation? demanda la jeune femme.

— Pourquoi?! Vous ne parlez pas sérieusement, Janet. Etre hébergée par cet individu!

— Seulement, il se trouve que cet *individu* a de fortes chances de devenir votre beau-frère. Non, laissez-moi finir! coupa la jeune femme en voyant Lucia réagir. Pourquoi ses intentions envers Cathy ne seraient-elles pas honorables? Elle est jolie. Il pourrait effectivement avoir envie de l'épouser. Quel droit auriez-vous de vous interposer?

— Mais elle ne l'aime pas, Janet! Elle manque beaucoup trop de maturité pour se marier.

— Je ne suis pas de votre avis, Lucia. Le mariage

avec un homme plus âgé qu'elle pourrait peut-être lui faire le plus grand bien. Je ne pense pas qu'elle soit capable de sentiments très profonds, mais c'est ainsi. Cela a des inconvénients, mais des avantages aussi. Au moins, elle sera sûre de ne jamais avoir le cœur brisé.

Lucia resta silencieuse. En fait, elle n'avait pas encore envisagé sérieusement le fait de voir Cathy devenir Mme Curzon. Epouser un homme par ambition lui semblait la plus abjecte des motivations.

— Je ne vois pas Cathy être la femme d'un homme comme Peter, par exemple, poursuivit Janet. Elle n'est pas faite pour vivre dans un petit cottage. Elle l'entraînerait dans des frais impossibles et le ruinerait au bout de quelques semaines.

Janet n'avait pas tort. Lucia le savait. Mais Cathy était si jeune! Peut-être trouverait-elle un homme dont l'amour suffirait à faire oublier à la jeune fille ses exigences matérielles.

Janet en doutait. Cathy avait été une enfant gâtée. Sa mère ne lui avait jamais dit non, et aujourd'hui encore, Lucia elle-même avait tendance à lui passer tous ses caprices.

La jeune femme se leva pour prendre son fils dans ses bras. Il venait de se cogner à la table.

— Mais Janet, reprit Lucia, elle ne le trouve même pas séduisant. Elle regrette qu'il ait le teint aussi mat, m'a-t-elle dit. Comment peut-on épouser un homme dont le seul attrait est la fortune?

— Le physique n'est pas le plus important. Et je ne crois pas Cathy froide au point d'épouser un homme dont elle ait horreur. Qu'a-t-il de si déplaisant, Lucia? Vous ne vous inquiétez pas seulement pour Cathy. Il y a autre chose, n'est-ce pas? Même dans des circonstances différentes, vous ne l'aimeriez pas.

— Et vous non plus! rétorqua Lucia d'une voix cassante, il est si... si arrogant,... si sûr de lui. Il s'imagine sans doute qu'il n'a qu'un geste à faire pour avoir une femme dans ses bras.

32

— Il n'a peut-être pas tort, suggéra Janet. En fait si je comprends bien, ce dont vous avez peur, c'est qu'il s'imagine vous tenir à sa merci.

— Absolument! Il a même eu le toupet de me dire que j'étais jalouse de Cathy! Je n'ai pas relevé, mais je vous assure que j'ai failli le gifler. Je préfère encore ne pas y penser, sinon... Je ne l'ai même pas dit à Cathy, elle aurait été d'accord avec lui!

Le petit Marc sauta des genoux de sa mère et retourna jouer. C'était un gentil bambin aux yeux noisette, et aux oreilles en feuilles de chou. Lucia le regarda s'amuser dans son coin, et soupira :

— Si j'envie quelqu'un, Janet, c'est bien vous.

La jeune femme sembla surprise. Puis après un silence :

— Je me demande souvent si vous n'avez pas fait une erreur en choisissant l'enseignement, Lucia... Oh, je sais, poursuivit-elle, en voyant son interlocutrice réagir. Vous aimez votre métier et vous avez toutes les qualités requises pour faire une excellente institutrice, mais était-ce vraiment le métier que vous aviez envisagé, avant la mort de votre père?

— Non, pas vraiment, concéda Lucia, mais lorsque Papa est mort, j'avais à peine dix-sept ans. Je n'avais encore jamais vraiment envisagé la question. Après avoir passé mon dernier examen, nous devions partir à l'étranger tous les deux.

— En somme, c'est par la force des choses que vous êtes devenue institutrice, n'est-ce pas?

— Pas seulement... il fallait bien choisir, alors, pourquoi pas l'enseignement?

— Et vous ne vous seriez pas décidée aussi vite, si vous ne vous étiez pas sentie si responsable vis-à-vis de Cathy et de sa mère?

— Je ne sais pas... Peut-être... Pourquoi me posez-vous cette question?

— D'après les photographies, vous étiez le portrait

tout craché de votre père, et je suis certaine que vos ressemblances ne s'arrêtaient pas à...

— Je ne vois pas où vous voulez en venir.

Janet hésita. Visiblement, elle choisissait ses mots.

— Vous m'enviez, admettons... J'ai un mari agréable, un petit garçon adorable, j'en conviens. Mais est-ce vraiment là le genre de vie qui vous aurait convenu? Je n'en suis pas sûre... Vous avez hérité du tempérament trépidant de votre père, mais il vous a fallu le réprimer très tôt, c'est tout. Et vous ne pourrez pas le refouler éternellement. On ne peut pas aller contre sa nature, Lucia. Un mari comme Bernard ne vous rendrait pas heureuse.

— Vous avez peut-être raison, admit Lucia, mais il y a de fortes chances pour que le problème ne se pose même pas pour moi. Je n'ai encore reçu aucune demande en mariage, et cela semble bien parti pour continuer. Je commence même à croire que je resterai vieille fille toute ma vie.

Lucia avait prononcé ces mots d'un ton léger, le sourire aux lèvres. Mais Janet ne fut pas dupe.

— Ne dites pas de bêtises! Vous êtes beaucoup plus séduisante que vous ne le pensez, et vous pourriez l'être bien plus, si vous vous occupiez davantage de vous. Au lieu de laisser Cathy dépenser tout votre argent pour des babioles dont elle n'a absolument pas besoin, allez vous acheter deux ou trois ensembles, et vous verrez... Vous n'allez tout de même pas remettre vos affaires de l'année dernière pour partir en Grèce!

— Mais je n'irai pas en Grèce, Janet! Il n'en est pas question!

— Vous êtes vraiment têtue! Bon, essayez de regarder la situation en face. De toute façon, vous n'empêcherez pas Cathy d'y aller; pas plus que vous ne pourrez l'empêcher d'épouser Nicolas Curzon, s'il le lui propose. Si ses intentions sont toutes autres, il ne pourra pas lui faire grand mal si vous êtes avec eux, là-bas. D'ailleurs, une semaine ou deux au soleil vous feraient le plus grand bien. Le docteur vous l'a dit. Et qui sait? Vous serez enchantée d'être partie.

— J'en doute fort!

— Qu'en savez-vous? La vie joue parfois d'étranges tours. Vous rencontrerez peut-être l'homme de votre vie?

— Oh, ce serait bien étonnant, vu le genre de personnes qu'il doit fréquenter!

Le lendemain matin, au petit déjeuner, Cathy ne fit aucune allusion à la Grèce. Ses investigations devaient aller bon train, conclut Lucia.

Le soir, comme tous les vendredis, elle retrouva Bernard Fisher au cinéma, puis ils se rendirent au Soo Chow. En chemin, Bernard s'étonna du silence de la jeune femme. Il n'avait pas tort. Depuis cinq minutes, Lucia ne l'écoutait parler que d'une oreille distraite. En traversant la rue, ses yeux tombèrent sur l'affiche d'une agence de voyages. On y apercevait l'Acropole d'Athènes. Lucia détourna vivement la tête.

Au Soo Chow, le garçon les installa à leur table habituelle. Bernard était face à la porte d'entrée. Soudain, après avoir passé la commande, l'expression de son visage changea. Intriguée, Lucia se retourna.

— Oh, non! s'exclama-t-elle instinctivement.

Nicolas Curzon aidait Cathy à se défaire de son manteau. Lucia fit à nouveau demi-tour sur sa chaise.

— Trop tard! Ils nous ont vus, ils arrivent.

Sans avoir remarqué les lèvres pincées de la jeune femme, ni la soudaine expression de colère qui illuminait son regard, Bernard se leva.

— Oh, Bernard! Quelle surprise! s'exclama Cathy comme si elle s'était adressée à un ami de longue date.

Tandis qu'elle lui parlait, Nicolas Curzon s'approcha de Lucia et s'inclina légèrement.

— Bonsoir, Miss Gresham. Je suis enchanté de vous voir tout à fait rétablie. Vous semblez en parfaite santé, ce soir...

En disant ces mots, il avait laissé glisser son regard le long de la silhouette de la jeune femme.

— ... Et de plus, vous êtes ravissante! ajouta-t-il.

Le compliment était facile! Lucia serra les poings sous la table. Cependant, elle s'efforça de répondre du ton le plus aimable possible :

— Merci monsieur Curzon. Que nous vaut le plaisir de votre compagnie?

Il n'eut pas le temps de répondre. Cathy lui avait pris le bras pour lui présenter Bernard. Les deux hommes se serrèrent la main. Bernard, remarqua Lucia, avait fui le regard de Nicolas Curzon. Ce manque de sûreté était l'une des raisons pour lesquelles la jeune femme savait qu'elle ne pourrait jamais tomber amoureuse de lui.

— Cela ne vous dérange pas si nous nous asseyons à votre table? demanda Cathy avec un grand sourire.

— Absolument pas, répondit Lucia, mais... je croyais que tu n'aimais pas la cuisine chinoise?

La jeune fille parut gênée.

— Je sais, mais Nico adore ça, et puis, tu m'as si souvent vanté ce restaurant... bredouilla-t-elle.

— Dans ce cas, M. Curzon ne sera pas déçu, j'espère. Mais c'est un petit restaurant modeste. Il est loin de posséder le chic de ceux qu'il doit avoir l'habitude de fréquenter.

— En effet, acquiesça celui-ci en souriant, mais j'y serait certainement mieux servi.

Cathy et lui n'étaient pas venus là par hasard. De toute évidence, ils avaient provoqué cette rencontre pour parler des vacances de Pâques. Cependant, à la grande surprise de Lucia, il ne fit aucune allusion à la Grèce de tout le repas. Celui-ci terminé, Cathy invita les deux hommes à venir prendre le café à Mayrose. Bernard hésita. Il était tard. S'ils avaient été seuls, Lucia et lui auraient été couchés depuis longtemps.

Arrivés à Mayrose, Lucia partit préparer le café et Bernard alla mettre le chauffage en marche dans la bibliothèque.

Dans la cuisine, Lucia décida de prendre son temps. Au début, elle s'était raisonnée; mais à présent, jouer la comédie toute une soirée devenait tout simplement insoutenable.

Soudain, Nicolas fit irruption dans la pièce.

— Puis-je vous être utile? demanda-t-il.

— Non, je ne pense pas, fit-elle, en commençant à tourner la manivelle du moulin à café.

— Vous semblez avoir du mal. Laissez-moi faire.

Il fit le tour de la table, et lui prit le moulin des mains. La jeune femme le lui abandonna à contrecœur.

— La soirée a été très agréable. Nous devrions nous rencontrer plus souvent.

La poignée, si difficile à tourner dans les mains de Lucia, n'offrait aucune résistance à ses mains d'homme.

— Très agréable, en effet, reprit-elle sans conviction.

— Vous ne portez pas de bague, mais vous êtes fiancée depuis peu, je crois?

— Fiancée? reprit-elle, en ouvrant de grands yeux, Qui vous a mis cette idée-là en tête?

Ses sourcils bruns se rapprochèrent ostensiblement.

— J'ai peut-être mal compris ou alors tenez-vous encore à garder la nouvelle secrète; dans ce cas, je suis désolé d'avoir été indiscret.

Ça m'étonnerait! pensa Lucia tout bas. Cependant, elle reprit :

— C'est Cathy qui vous en a parlé?

— Non, pas vraiment. Mais elle m'a laissé entendre que Fisher et vous étiez des amis très intimes. J'en ai déduit, apparemment un peu trop vite, que vous étiez fiancés.

L'avait-il vraiment pensé, ou bien était-ce un nouveau piège de sa part?

— L'amitié entre un homme et une femme est un sentiment qui vous étonne, j'imagine, fit-elle d'un ton léger, pourtant, il n'y a rien d'autre entre Bernard et moi; et il n'est pas question de fiançailles.

— Peut-être en ce qui vous concerne, Miss Gresham.

Mais pour Fisher? Il faudrait qu'il soit sacrément idiot pour ne pas vous trouver séduisante.

Lucia essaya de ne pas réagir, mais elle ne put s'empêcher de rougir. Cependant, elle parvint à soutenir le regard de son interlocuteur.

— Dans ce cas, il serait bien le premier à ne pas faire de rapprochement entre l'attrait physique et le mariage.

Les lèvres de Nicolas frémirent légèrement. Il avait compris où elle voulait en venir.

— Peut-être, admit-il avec un sourire amusé, mais on peut très bien se sentir attiré par un être dont on réprouve, par ailleurs, les principes.

Que sous-entendait-il encore? Qu'elle était amoureuse de lui? Lucia se raidit, pour ne pas laisser paraître sa rage.

— A dix-huit ans, je veux bien l'admettre; mais, plus tard, on ne se laisse plus séduire par des motifs aussi superficiels, répondit-elle d'un ton tranquille, satisfaite de sa réplique.

Il sortit le tiroir du moulin à café et le lui tendit.

— Et... bien sûr, Miss Gresham... vous n'êtes jamais tombée dans le piège... même à dix-huit ans? fit-il d'un ton moqueur.

Ne pouvait-il donc jamais abandonner cette détestable arrogance? Se croyait-il si irrésistible?

— Alors, ce n'est pas à cause de Fisher que vous refusez de venir en Grèce à Pâques?

Ah! nous y voilà enfin! songea-t-elle.

— Bernard n'y est absolument pour rien, en effet.

— Dans ce cas, il me reste peut-être une chance de vous faire changer d'avis. Vous ne seriez pas nos seuls hôtes, Cathy vous l'a dit?

Lucia acquiesça de la tête.

— Eh bien alors, vous n'avez plus rien à craindre.

— Tout dépend de vos hôtes!

Il éclata de rire.

— Ainsi, vous soupçonneriez mes invités d'être encore plus pervers que moi? Eh bien, non... Vous vous trompez. Ils sont irréprochables. Cathy les trouvera d'ailleurs peut-être un peu assommants; mais par contre, je suis certain qu'ils vous plairont...

Il s'interrompit pour allumer une cigarette, puis il reprit d'un ton provocateur :

— Vous et moi ne parlons pas le même langage, mais à coup sûr, vous parlerez le même qu'eux.

Cette allusion à leur précédente conversation dans la bibliothèque fit rougir la jeune femme. Elle détourna le regard, et, cherchant leurs belles tasses en porcelaine, elle demanda :

— Où habitez-vous exactement, en Grèce?

— Sur une petite île appelée Marina. Il faut prendre le bateau au Pirée, pour s'y rendre. Je viendrais vous chercher à l'aéroport, si vous veniez. Quand on ne connaît pas la langue du pays, on se sent toujours un peu perdu.

De façon évidente, il attendait une réponse. Ne la voyant pas venir, il poursuivit :

— J'ai des raisons très précises pour souhaiter votre présence.

Lucia lui jeta un rapide coup d'œil. Pour la première fois, il semblait sérieux, presque grave, pensa-t-elle.

— Et... lesquelles, monsieur Curzon?

Elle vit un sourire lui effleurer les lèvres, et son regard s'illuminer.

— Il serait peut-être prématuré de vous les donner aujourd'hui; mais, si cela peut vous rassurer sur mon compte, sachez que j'ai beaucoup changé depuis notre première rencontre... Oui, vous m'avez parfaitement compris, coupa-t-il en voyant Lucia ouvrir la bouche... la réputation de votre sœur sera aussi sauve avec moi qu'elle pourrait l'être avec ce « cher Bernard ».

— Je vois, fit simplement Lucia à voix basse, continuant à disposer les tasses sur un plateau.

Elle ne savait trop quoi en penser. Il s'en aperçut :

— Vous ne me croyez pas?

— Si... Si, je vous crois...

Elle n'eut pas le temps de poursuivre. Il s'était précipité sur le café qui était en train de bouillir.

Lorsque le plateau fut prêt, Nicolas le prit dans ses mains. Lucia lui ouvrit la porte, mais il ne passa pas immédiatement.

— Ai-je réussi à vous faire changer d'avis? Vous nous accompagnerez à Marina, le mois prochain?

La jeune femme évita son regard.

— Vous ne me laissez pas tellement le choix, répondit-elle, d'une voix sourde. Très bien, monsieur Curzon, je viendrai.

— Dans ce cas, vous feriez bien de commencer à m'appeler par mon prénom... Puis-je en faire autant avec vous?

— Si vous voulez.

Il ne lui en fallait pas davantage. Il passa la porte, mais avant d'entrer dans la bibliothèque, il se ravisa.

— Au fait, je voulais vous dire : Fisher... C'est un très gentil garçon. Mais, comme soupirant... il n'est pas du tout votre genre.

Lucia avait cédé. Cathy en fut ravie; mais elle déchanta vite lorsqu'elle vit la jeune femme lui resserrer les cordons de la bourse commune.

Lucia avait fait expertiser le petit secrétaire. Il pouvait leur rapporter au moins sept mille nouveaux francs. Elles avaient de quoi, s'était esclaffée Cathy. Mais Lucia avait d'autres projets en tête. Ne pouvant se décider à vendre, elle ferait un emprunt à la banque pour payer les travaux de ravalement. Elle s'en occuperait dès leur retour.

— Je serai peut-être déjà fiancée, à ce moment-là! C'est maintenant que j'ai besoin de cet argent! Je n'ai rien à me mettre pour partir en Grèce. Les autres invités seront certainement très chics. Je dois les éblouir.

En temps ordinaire, elle aurait obtenu ce qu'elle voulait; mais cette fois, Lucia resta inflexible.

— Je te laisserai cinq cents francs, c'est tout. Si

Nicolas t'aime vraiment, il se moquera de la façon dont tu es habillée!

— Cinq cents francs? Mais on n'a rien du tout avec cinq cents francs, de nos jours! Mes pantalons et mes robes ne sont plus à la mode, cette année. La mode a changé... Et toi, combien dépenseras-tu?

— Mille francs, répondit calmement Lucia.

— Deux fois plus que moi? Et pourquoi donc?

— Parce que ta garde-robe est deux fois plus fournie que la mienne, et que tu es suffisamment jolie pour être élégante dans n'importe quel vêtement! Moi je ne suis pas jolie, et mes placards sont vides.

— Tu n'y serais jamais allée, si je n'avais pas été là. Tu n'as pas le droit de dépenser plus d'argent que moi. Ce n'est pas juste!

— Ne sois pas stupide! Ce voyage ne m'enchante absolument pas. Tu le sais très bien. J'estime donc avoir droit à certaines compensations.

Un soir, en rentrant, Lucia trouva le téléphone en train de sonner. Elle venait de courir pour éviter une averse. Elle décrocha donc le combiné, essoufflée.

— Lucia?

— Allô, oui... Qui est à l'appareil?

— Nicolas...

— Ah... Bonjour, fit-elle, en s'asseyant sur le bras du canapé, et en ôtant son écharpe.

— Vous ne semblez pas enchantée de m'entendre. Je vous dérange, peut-être?

— Non, pas du tout, j'arrive de l'école, à l'instant. Que puis-je faire pour vous?

— Je téléphonais précisément pour vous poser la même question. Vos préparatifs sont terminés, m'a dit Cathy. Je voulais m'en assurer.

— Oui, oui... tout est parfait. Et vous, quand partez-vous?

— Demain... Si tout se passe bien, je vous retrouverai à l'aéroport d'Hellenikon, jeudi matin à l'aube.

Il eut un rire bref.

— Etes-vous toujours aussi enchantée de partir, ou bien vous êtes-vous faite à cette idée?

— Oh! Ça me changera d'air... Et puis, j'adore me baigner... répondit-elle d'une voix sans expression.

— Le soleil et la mer? C'est tout? Vous n'y allez pas pour autre chose?

Par un étrange concours de circonstances, sa voix s'était faite plus proche, plus chaude, plus profonde, et pleine de sous-entendus.

— La plupart des jeunes filles partent toujours en vacances avec l'espoir de rencontrer l'homme de leur vie. Etes-vous si différente des autres?

Ne trouvant aucune réplique cinglante, Lucia continua de se taire.

— Ce voyage pourrait être, pour vous, l'occasion de découvrir la vraie Lucia... Celle qui se cache derrière la petite institutrice stricte et austère...

— En tout cas, ce ne sera pas grâce à vous!...

Les mots étaient partis sans le vouloir. Comment avait-elle pu dire une chose pareille? Elle était rouge de honte. Il marqua un temps, puis répondit calmement :

— Je ne vous suis pas très bien, mais les explications attendront; je dois raccrocher, à présent. Nous éclaircirons cela en Grèce. A bientôt, au revoir.

Le trimestre se terminait le vendredi précédant le week-end de Pâques. Cathy avait obtenu son samedi. D'ailleurs, avait-elle décidé, s'ils le lui avaient refusé, elle aurait donné sa démission. Elle n'aurait certainement plus besoin de travailler à son retour. Ses fiançailles avec Nicolas lui semblaient, en effet, chose acquise.

Ce soir-là, en rentrant, elle trouva Lucia en train de préparer leurs affaires. Celle-ci lui avait aussi préparé son dîner. Elle n'avait donc plus qu'à se servir, à rassembler ses affaires de toilette, et à prendre sa douche.

L'avion décollait à vingt-deux heures quarante-cinq. Peter les emmènerait à l'aéroport. Après avoir fait la vaisselle, et tout vérifié dans la maison, Lucia se changea et monta voir Janet. Celle-ci tomba en admiration devant l'élégance de la jeune femme.

— Le coloris n'est pas trop criard? demanda-t-elle inquiète.

Elle avait toujours fait abstraction de toute fantaisie, dans le choix de ses tenues, se cantonnant au bleu marine, gris ou beige. Or, son ensemble était parme. Sous la veste, elle portait un corsage assorti, mais dans un ton plus clair.

— Certainement pas! s'exclama Janet, vous êtes ravissante.

— J'ai longtemps hésité. Il y avait le même en bleu marine. Je ne suis pas encore sûre d'avoir bien fait.

Sur ces entrefaites, Peter entra. Il s'arrêta net en apercevant Lucia.

— Ma chère! Quelle élégance!

La jeune femme rougit sous le compliment. Peter n'était pas homme à remarquer le vêtement d'une femme, même celui de la sienne, et encore moins celui d'une autre! Puis, Cathy les rejoignit. Elle poussa un cri désapprobateur.

— Quelle couleur!

Janet l'aurait giflée, mais Lucia s'était attendue à cette réaction. Cathy lui en voulait terriblement de s'être octroyée une somme d'argent plus importante que la sienne pour s'habiller. Elle ne releva donc pas.

L'heure du départ arriva. Janet leur souhaita bon voyage. Au clin d'œil qu'elle lui lança, Lucia répondit par un faible sourire. Cependant, elle ne pouvait retenir une certaine fébrilité. Toute sa jeunesse, elle avait rêvé de voyager; aujourd'hui, ce rêve se réalisait.

Cathy et les autres passagers somnolèrent pendant la plus grande partie du vol. Lucia, elle, ne pouvait dormir. C'était la première fois qu'elle montait dans un avion... Cet oiseau de fer fendant la nuit... Les cimes enneigées des Alpes flirtant avec les nuages... Se retrouver, quelques heures plus tard, au pays du soleil... C'était fantastique!

Cathy se réveilla une demi-heure avant l'atterrissage. Elle se leva et partit faire un brin de toilette. En revenant, plusieurs têtes se retournèrent sur son passage. Elle était vraiment ravissante... même dans un petit ensemble « démodé »...

Bientôt, ce fut l'atterrissage. Il était trois heures du matin. L'air était encore frais à cette heure.

— Où est Nico? s'enquérit anxieusement Cathy, après avoir passé les douanes.

Plusieurs personnes attendaient dans le hall; mais Nicolas n'était pas parmi elles. Au bout d'une demi-heure, ne le voyant toujours pas arriver, Cathy alla se renseigner à l'accueil. Il avait dû laisser un message, ce n'était pas possible! Mais rien... aucun message. Les deux sœurs décidèrent alors d'aller prendre un café dans un bar, un peu plus loin. Cathy partit aux toilettes se poudrer le nez. Que feraient-elles si dans un moment, Nicolas n'était toujours pas arrivé?

— Miss Gresham? demanda soudain une voix d'homme derrière Lucia.

— Oui, répondit-elle vivement, en se retournant.

Ce n'était pas un membre du personnel de l'aéroport. C'était un étranger. Il portait des espadrilles et un chandail bleu foncé sur un jean délavé.

— Je suis Yannis Tyropoulos. Nico m'envoie vous chercher. Je suis désolé d'être en retard, mais j'ai eu un accident en route. Il est vraiment désagréable d'arriver dans un pays étranger sans personne pour vous accueillir. Vous semblez désemparée. Laissez-moi vous renouveler toutes mes excuses.

— Oui... Bien sûr, fit-elle, plutôt surprise.

Il tenait les deux mains de Lucia dans les siennes, mais ce qui avait le plus étonné Lucia, c'était la beauté

44

de ce jeune Grec. Jamais elle n'avait vu d'homme plus séduisant.

Lui tenant toujours les mains, il s'assit sur le bord de la table et enveloppa Lucia de son doux regard.

— Ainsi, vous êtes la jolie Cathy. Où est votre sœur... Lucia, je crois?

— Je suis Lucia, expliqua-t-elle, Cathy va revenir dans un instant.

— Pourtant, Nico m'a dit que Cathy était la plus jolie des sœurs, et Lucia la plus intelligente, reprit-il d'un air très étonné.

« La sœur déshéritée », songea-t-elle, avec ironie.

— C'est exact, Cathy est très jolie, répondit-elle.

— Mais, c'est impossible! Vous l'êtes déjà énormément, fit-il, en pressant légèrement les doigts de la jeune femme.

Il l'enveloppait d'un regard si tendre et si passionné à la fois, qu'un instant, elle faillit s'y laisser prendre.

— Il faudrait qu'elle soit une déesse pour vous surpasser.

— Eh bien, jugez-en par vous-même, coupa Lucia, en voyant Cathy arriver.

Yannis se retourna. Elle en profita pour ôter vivement ses mains des siennes.

A l'approche de la jeune fille, Yannis s'était levé. Son regard s'était-il fait plus passionné encore? Lucia ne put le voir, il lui tournait le dos.

— Cathy, je te présente monsieur Tyropoulos. Il vient de la part de Nicolas.

Cathy semblait, elle aussi, frappée par les beaux yeux bruns et les longs cils noirs de Yannis.

— Enchantée, murmura-t-elle, pourquoi Nico n'est-il pas venu?

— Il allait prendre la navette, quand un léger incident est survenu. Il a préféré rester pour s'occuper d'Ariane.

— Qui est Ariane? demanda vivement Cathy.

— La plus jeune des enfants de ma cousine Sophie. Elle s'est coupée avec une paire de ciseaux.

Lucia se souvint avoir entendu Nicolas parler d'un grand-père Tyropoulos et demanda :

— Et Nicolas, c'est aussi votre cousin?

Yannis se retourna vivement. Lucia fut presque troublée par l'empressement avec lequel il semblait vouloir satisfaire le moindre de ses désirs.

— En effet, confirma-t-il, mon père et la mère de Nico étaient frère et sœur... Mais vous devez être fatiguée après un tel voyage. Il faut vous reposer. Je vais vous emmener à Athènes.

Dans la grande ville, ils s'arrêtèrent devant un luxueux hôtel.

— Dans dix minutes, vous serez dans un bon lit, dit Yannis, en les aidant à sortir du taxi.

— Ce n'est peut-être pas nécessaire, s'empressa de répondre Lucia qui n'avait pas prévu une telle dépense.

— La navette part seulement du Pirée à midi. Ne vous inquiétez pas, tout est arrangé. On vous réveillera à neuf heures. Ensuite, nous prendrons notre petit déjeuner ensemble.

Lucia était trop fatiguée pour insister. Elle verrait plus tard.

Elle signa un registre, puis un porteur monta leurs bagages dans une chambre luxueuse, avec salle de bains. Yannis s'occupa du pourboire. Comme elle raccompagnait le jeune homme à la porte, il lui murmura en souriant :

— A bientôt. Et dormez bien... jolie Lucia.

Lucia fut réveillée par les rayons du soleil. Elle jeta un coup d'œil à sa montre. Il était sept heures. Elle n'avait dormi que deux heures, mais elle se sentait en pleine forme pour affronter sa première journée en Grèce.

Elle se leva doucement pour ne pas réveiller Cathy, et s'avança vers la fenêtre. La ville illuminée de soleil était déjà en pleine activité, mais grâce aux vitres anti-bruit, aucun son ne passait. La chambre était encore chauffée, mais pas pour longtemps; on mettrait vite l'air conditionné en marche.

Lucia ne pourrait pas rester au lit jusqu'à neuf heures. Pieds nus, elle alla prendre une douche, chaude d'abord, et froide ensuite. Elle se maquilla légèrement, s'habilla rapidement, et laissa un mot à Cathy.

Il n'y avait personne dans le couloir; uniquement des chaussures proprement rangées devant les portes des chambres.

— *Kaliméra, Kyrie,* fit-elle d'une voix assurée au garçon d'ascenseur, comme il lui ouvrait la porte.

Il eut un large sourire.

— *Kaliméra, Thespoinîs. Tî kánete?*

Puis, il ajouta, au cas où elle n'aurait pas compris :

— Comment allez-vous?

Depuis qu'elle avait décidé de faire ce voyage, elle s'était mise au grec d'arrache-pied. Aussi, se risqua-t-elle à répondre dans la propre langue de l'employé.

— *Kalà-ke sis?*

La prononciation n'était pas trop mauvaise, car le garçon hocha la tête en souriant, et répondit :

— Très bien, très bien.

Il lui souriait encore lorsque l'ascenseur s'arrêta à un étage. Lucia fut surprise de se retrouver nez à nez avec Yannis. Celui-ci ouvrit de grands yeux. -

— Bonjour. J'étais trop énervée pour dormir. J'allais faire une petite promenade, expliqua-t-elle.

— Vous ne semblez plus du tout fatiguée, en effet. Et votre sœur? Elle dort encore?

— Oui. Elle ne se réveillera pas avant un bon moment.

L'ascenseur était arrivé au rez-de-chaussée. Avant d'en sortir, Lucia sourit au garçon :

— *Efharisto.*

Ce à quoi il répondit, en s'inclinant :

— *Parakalô.*

Puis, se tournant vers Yannis, il ajouta quelques mots

qu'elle ne comprit pas, mais qui, de toute évidence la concernaient.

— Que vous a-t-il dit? demanda-t-elle, lorsque la porte de l'ascenseur se fut refermée sur lui.

Yannis sourit et glissa son bras sous celui de la jeune femme.

— Il était étonné d'entendre une touriste anglaise parler notre langue... surtout aussi jeune et aussi jolie que vous.

— Vous n'en rajoutez pas un peu? s'exclama Lucia en éclatant de rire.

— Non, pas du tout. Comprenez bien... Les Grecs ne sont pas comme les Anglais. Lorsqu'une femme leur plaît, ils le lui montrent. N'en soyez pas choquée. Ce n'est pas méchant.

Ils étaient à présent au seuil du restaurant de l'hôtel. Un garçon les introduisit et les installa. Yannis commanda leur petit déjeuner.

— Comment se fait-il que vous parliez si bien l'anglais, monsieur Tyropoulos? demanda Lucia.

— Pas monsieur Tyropoulos, reprit-il, Yannis...

— Soit... Yannis.

— Nico me l'a appris, expliqua-t-il, et j'ai aussi passé une année en Angleterre. L'expérience a été très enrichissante, mais je ne me faisais pas à votre climat. Je suis revenu à Marina. Grâce à Nico, je pourrai peut-être y passer le reste de ma vie.

— Pourquoi « grâce à Nico »?

— Sur l'île, les gens sont très pauvres, expliqua-t-il. Il en est encore de même pour Hydra et Mykonos. Mais, celles-ci ont la chance de pouvoir accueillir de nombreux touristes l'été. Lorsque l'un de nous veut faire fortune, sa seule ressource est de s'expatrier, en Angleterre, parfois; ou bien plus loin... aux Etats-Unis. Il y a plusieurs années, Nico m'a offert mes études. Aujourd'hui, il me prête de l'argent pour m'aider à monter un petit hôtel, à Marina. Cette solution a l'avantage de créer de l'emploi sur l'île.

— Oui, je vois, fit Lucia, d'un air songeur.

Elle était à la fois agréablement surprise et bizarrement troublée par la découverte de cette nouvelle facette du personnage de Nicolas : sa philanthropie.

Le petit déjeuner arriva : des croissants à la française, du miel du Mont Hymettos, et du café avec un petit pot de lait bien chaud. On appelait cela du *ghalikô kafé*, expliqua Yannis. On ne le servait que sur demande. Lucia n'aurait pas aimé le café grec, d'aussi bonne heure le matin. Il ressemblait fort au café turque.

Pour la jeune femme, ces premières heures vécues sous le doux soleil matinal de la Grèce constituaient une rupture certaine avec un passé grisâtre et vide d'intérêt. Les incertitudes d'un futur, même proche, ne lui importaient déjà plus.

Le petit déjeuner terminé, Yannis l'emmena faire un tour dans la ville. A huit heures et demie, les boutiques étaient déjà ouvertes, et tels des fourmis, automobilistes et piétons s'activaient en tous sens. Aux yeux d'un voyageur accompli, ce fourmillement aurait pu être celui de n'importe quelle autre capitale. Mais Lucia le trouvait féerique... Sans doute à cause du bleu immaculé du ciel auquel, même le plus froid des Anglais ne serait demeuré insensible.

Même dans les marchés londoniens, elle n'avait jamais vu les gens respirer une telle bonne humeur. Ils parlaient en faisant de grands gestes, et leurs voix à elles seules couvraient presque le bruit de la circulation.

— Nous n'avons pas le temps de visiter le Parthénon, je suppose? demanda la jeune femme, comme ils se promenaient tous deux main dans la main.

Yannis la lui avait prise fermement, et ne semblait pas décidé à la relâcher.

— Non, mais Nico a prévu de vous faire visiter certains monuments un peu plus tard.

Soudain, Lucia s'arrêta :

— Comme c'est joli! s'exclama-t-elle, à la vue d'un petit âne chargé de paniers débordant de fleurs.

Elle n'eut pas le temps de réagir. Yannis était déjà près du marchand de fleurs et revenait les bras pleins d'œillets.

— Yannis! Vous n'auriez pas dû! s'écria-t-elle, à la fois rouge de plaisir et de honte.

— *Ena penindari...* Ce n'est rien, traduisit-il. Un seul de vos sourires vaut bien tous les œillets du monde.

Le visage de la jeune femme s'empourpra. Yannis flirtait innocemment, elle en était consciente. Cependant, elle ne pouvait s'empêcher d'être sensible à l'excès de galanterie déployé par ce Grec si enjoué et si séduisant.

Ils revinrent à l'hôtel, un peu après neuf heures. Cathy les attendait dans le hall. Son accueil fut assez glacial. Elle leur posa toutes sortes de questions : d'où ils venaient, où Lucia avait-elle eu ces fleurs, s'étaient-ils aperçu de l'heure... Bref, elle semblait plutôt mécontente.

Elle n'avait pas encore pris son petit déjeuner. Le restaurant étant plein, Yannis lui conseilla de remonter le prendre dans sa chambre.

Pour la seconde fois, remarqua Lucia, Yannis s'adressait à la jeune fille très naturellement, et ne semblait pas outrement fasciné par son charme.

Il les retrouverait un peu plus tard, au moment de partir.

En remontant dans leur chambre, Cathy ne prononça pas un mot; mais Lucia pressentit un orage. A peine la porte était-elle fermée que la jeune fille explosa.

— Ah, je te remercie vraiment de m'avoir laissée toute seule. J'ai eu l'air fin à m'expliquer avec ces garçons miteux qui te regardent des pieds à la tête...

— Je n'ai pas remarqué de garçons miteux..., coupa Lucia voulant éviter une scène,... je suis désolée, je croyais être revenue avant ton réveil... et puis, je t'avais laissé un mot.

— Tu ne me disais pas que tu allais te promener avec Yannis!

— Ce n'était pas prévu. Je l'ai rencontré en descendant.

— Pourquoi t'a-t-il offert toutes ces fleurs? Elles vont te gêner sur le bateau.

— Oui, je sais; c'est dommage, admit Lucia à regret... Je les laisserai à la femme de chambre. Elles sont belles, n'est-ce pas? Tu en veux une?

— Non merci, répondit Cathy d'un ton cassant.

— Ne sois pas fâchée, je t'en prie... Nous n'allons pas commencer nos vacances en nous disputant...

— Tiens... Tu as changé d'avis, à présent! Tu es contente d'être là... Yannis n'a pas mis longtemps...

Lucia ignora l'allusion.

— Tu ferais mieux d'appeler pour commander ton petit déjeuner.

— Je ne t'aurais jamais crue si stupide! poursuivit Cathy d'une voix pleine de dépit... Tu t'es laissée avoir par ses yeux de carpes et son baratin... C'était bien la peine de me faire la morale! Pour une fois qu'un homme te remarque, tu n'as vraiment pas laissé passer l'occasion!

La jeune fille n'obtint pas l'effet escompté. Ce sarcasme digne d'une enfant de six ans qui aurait été momentanément laissée de côté, relevait de la jalousie. Lucia le comprit et ne broncha pas; non sans un certain sourire intérieur, elle imagina même sa sœur tapant du pied.

— Et alors? fit-elle posément, préférerais-tu que je sois sans cesse derrière tes talons à surveiller chacun de tes faits et gestes avec Nicolas? Tu devrais être satisfaite, au contraire.

Cathy pâlit. Effectivement, Lucia était arrivée à l'hôtel le sourire aux lèvres, et le regard plus radieux que jamais; mais en faisant cette remarque, la jeune fille ne s'était pas attendu à viser aussi juste.

— Tu n'es pas vraiment amoureuse, j'espère? demanda-t-elle enfin légèrement alarmée.

Lucia réprima un sourire.

— Je ne sais pas... Je le connais à peine, depuis la nuit dernière, répondit-elle d'un ton enjoué, mais il est vraiment merveilleux, tu ne trouves pas? Et je n'ai pas l'air de le laisser indifférent.

Elle s'arrêta et arrangea le bouquet d'œillets dans un vase.

— Oui... Ce ne serait pas impossible, ajouta-t-elle d'un air pensif... Il se pourrait fort bien que je tombe amoureuse de lui...

3

Cathy sembla stupéfaite.

— Tu ne parles pas sérieusement? C'est un Grec.

— Quelle importance? Nicolas aussi est Grec.

— Oui, mais il n'habite pas ici, et puis, il ne pense pas vraiment comme un Grec.

— Tu te trompes. Il a été élevé en Angleterre, c'est vrai; mais, au fond, il se sent plus Grec qu'Anglais. Il me l'a dit lui-même...

— C'est ridicule! s'entêta à soutenir la jeune fille, il n'est pas plus Grec que toi et moi.

— Et même s'il l'était, quel mal y aurait-il?

Sur le coup, Cathy ne sut que répondre. Mais elle finit par bredouiller :

— Eh bien... Les Grecs n'ont rien de commun avec nous. Et puis, ils ont des manies. En vous attendant, dans le hall, j'en ai vu deux ou trois jouer avec un petit bracelet de perles.

— Tu veux parler du komboloia? demanda Lucia. Tu n'étais pas au courant? c'est une coutume. Ils ont l'habitude de le faire tournicoter dans leurs doigts pour passer le temps, ou pour se détendre.

— Bon, eh bien, justement..., s'exclama Cathy d'un ton cassant, les Anglais n'ont pas besoin de ça pour se calmer les nerfs.

— Non, effectivement... Mais, ils fument, ou bien se rongent les ongles, répliqua vivement Lucia.

— De toute façon, les hommes n'ont pas à jouer avec des perles, coupa Cathy d'un ton méprisant.

Puis, elle poursuivit d'une voix agacée :

— Je n'aime pas non plus la façon qu'ils ont de te regarder passer... ils te lancent des œillades! Ou bien, te dévisagent des pieds à la tête avec un petit sourire amusé. J'ai horreur de cela... J'ai cru mourir de honte dans le hall.

— C'est une coutume, a dit Yannis. Il faudra nous y habituer. Les Anglais font exactement la même chose, mais ils sont plus discrets, c'est tout.

Devant l'indifférence totale de Lucia, Cathy ferma les paupières en haussant les épaules.

— Je commande ton petit déjeuner, proposa la jeune femme, je vais parler un peu.

Sur ce, elle s'approcha du téléphone et décrocha.

— *Kaliméra. Boró ná páro tó próyevma stó thomatió-moo parakaló?*

Cathy ouvrit de grands yeux.

— Qu'est-ce que ça veut dire? Je ne savais pas que tu parlais grec.

— Seulement quelques mots. Si tu dois épouser Nicolas, tu devrais t'y mettre. Vous passerez certainement une grande partie de votre temps à Marina. Il faudra que tu saches parler la langue couramment.

Cathy sembla effrayée.

— Mais, je ne pourrai jamais. Ils n'ont même pas le même alphabet que nous.

— Il n'y a que deux ou trois lettres qui diffèrent. Les autres ne sont pas difficiles à retenir. Avec l'aide de Nicolas, tu n'auras pas beaucoup de mal. Le plus dur, c'est la prononciation.

Quelques instants plus tard, un garçon apporta le petit déjeuner de Cathy. Apparemment, le réceptionniste avait compris la commande passée par Lucia. La jeune femme taxa le garçon d'un « *Efharistó* », auquel il répondit par « *Parakaló* », après avoir jeté aux deux sœurs un regard enjoué et souriant.

— Même les serveurs te font les yeux doux! s'esclaffa Cathy en colère.

Lucia eut un sourire ironique.

— *Ftani pya. Fiyete!* Voilà ce que tu devrais apprendre par cœur, fit Lucia avec une pointe d'espièglerie dans la voix.

— Qu'est-ce que cela veut dire?

La jeune femme prit alors un air hautain pour traduire.

— Ça ira. Vous pouvez disposer.

Sur ce, elle éclata de rire et partit dans la salle de bains pour y rassembler ses affaires.

Le Pirée, port d'Athènes, se trouvait à une dizaine de kilomètres du centre de la capitale. Il leur faudrait quatre heures pour atteindre Marina, expliqua Yannis dans le taxi qui les conduisait au port.

Les bateaux à vapeur qui faisaient la navette entre les îles assuraient à la fois le transport des passagers et des marchandises. Pour Cathy, l'activité portuaire n'offrait aucun intérêt. Lucia, au contraire, la découvrait avec intérêt.

A l'origine, le port d'Athènes avait été Phaleron. Mais un politicien prévoyant, Thémistocle, avait eu une idée géniale. Au lieu de miser sur les défenses terriennes, mieux valait s'assurer la maîtrise des mers grâce à une flotte puissante, et se protéger d'éventuelles attaques maritimes en construisant un port fortifié. On avait choisi Le Pirée.

Quelques années plus tard, à Salamis, les trois cent cinquante vaisseaux de guerre grecs s'offraient le luxe de mettre en déroute la flotte perse composée de plus de mille navires.

Au ve siècle, à l'apogée de l'empire grec, on avait élevé, dans la partie la plus proche du port, de magnifiques colonnes devant lesquelles les capitaines alignaient les butins et cargos rapportés de quelque mer ou océan lointain.

Mais bientôt, les Spartiates puis les Romains le dévastèrent totalement. Ces derniers en avaient reconstruit un pour leur usage personnel mais, à la chute de leur empire, Le Pirée avait cessé d'exister. Il n'en était resté qu'un insignifiant petit village côtier.

Lord Byron et Lord Elgin s'y étaient arrêtés autrefois.

Puis, à partir de 1835, le port avait peu à peu retrouvé de son importance. Aujourd'hui, il était à nouveau le pôle d'attraction de tout le Levant, et l'un des plus grands marchés économiques mondiaux.

A peine la navette s'était-elle éloignée des côtes, que Cathy commença à perdre des couleurs. Comment pouvait-on avoir le mal de mer par une aussi belle journée, et une mer aussi calme, se demanda Lucia.

Yannis descendit la jeune fille à l'intérieur : elle s'y sentirait mieux. Inquiète, Lucia était sur le point d'aller les rejoindre lorsque Yannis fit à nouveau irruption sur le pont. Il rassura la jeune femme ; une hôtesse s'occupait de sa sœur. De plus, elle ne devait pas s'absenter : il voulait lui montrer le Temple de Poséidon au moment où ils passeraient devant. En attendant, Yannis offrit un sandwich. Se sentant parfaitement bien, Lucia l'accepta volontiers. Il ne lui était même pas venu à l'idée que l'une d'elles puisse être malade, sinon elle aurait pris des cachets en prévision.

— En principe, il est très rare d'avoir le mal de mer par une aussi belle journée. L'été, lorsque le *Meltemi* souffle, il y a beaucoup de remous entre les îles. J'y suis habitué, mais de nombreuses personnes ne le supportent pas. Espérons que Cathy n'en fait pas partie. Elle doit être fatiguée ; cela se passera mieux une prochaine fois.

Lucia laissa la brise faire voler sa chevelure. Comme l'air sentait bon le sel! Comme il était agréable de s'abandonner au mouvement des vagues! Un instant, un sentiment de honte lui fit regretter de ne pas être descendue aux côtés de Cathy ; mais bientôt, en passant au large du Cap Sounion, ses regrets s'évanouirent. Le spectacle était magnifique. En haut d'une falaise, s'élevaient des vestiges du Temple de Poséidon : douze splendides colonnes de style dorique dont l'éclat rivalisait avec celui du soleil lui-même. Ces merveilles traînaient derrière elles vingt-quatre siècles d'histoire.

A plusieurs reprises, la jeune femme descendit prendre des nouvelles de Cathy. Heureusement pour elle, la jeune fille s'était assoupie aussitôt après s'être allongée dans sa cabine. Elle dormait encore, quand, en fin d'après-midi, les côtes de Marina se dessinèrent à l'horizon.

Au fur et à mesure que ces dernières se rapprochaient, Lucia sentait ses craintes lui revenir. Nicolas n'aurait certainement pas oublié les paroles qu'elle avait eu au téléphone avec lui. Il ne manquerait pas de lui demander des explications.

Vue de la mer, l'île ne semblait être qu'une chaîne de montagnes. Aride et inexploitée, cette partie de l'île constituait la côte nord. En remontant vers l'ouest, les falaises faisaient place à de multiples petites plages encastrées dans de paradisiaques promontoires rocheux. Derrière ceux-ci s'élevaient des collines où l'on avait pratiqué des cultures en terrasses. De petits villages isolés venaient y mêler leur solitude.

Le port de l'île, son unique ville, était couronné par une guirlande de maisonnettes peintes à la chaux. La population tout entière semblait attendre la navette. Marina n'était pas le terminus. Elle s'y arrêtait seulement une demi-heure. Il ne fallait donc pas la manquer.

Aidée par Lucia d'un côté, et par Yannis de l'autre, Cathy descendit à terre. Malgré son somme, elle ne semblait toujours pas remise. Irritée par le tohu-bohu de la foule, elle se boucha les oreilles.

Sachant à quel point la jeune fille s'en voudrait d'avoir été présentée aux autres invités dans cet état, Lucia ne put s'empêcher d'avoir pitié de sa sœur.

— Tu te sentiras beaucoup mieux une fois que tu auras pris un bon bain, lui dit-elle pour l'encourager, tandis que Yannis leur frayait un chemin à travers la foule.

— La jeep est là-bas, fit-il, en désignant du menton une Land Rover garée un peu plus loin.

Ce devait être l'un des amis de Nicolas, songea Lucia, en apercevant, à côté du véhicule, un individu à la silhouette athlétique, vêtu d'une chemise en coton et d'un jean délavé.

Quelle ne fut pas sa surprise en le voyant ôter ses lunettes de soleil, et venir à leur rencontre... Il s'agissait de Nicolas en personne!

— Bonjour. Soyez les bienvenues à Marina. Désolé de ne pas avoir pu vous accueillir à l'aéroport. Yannis vous a sans doute raconté.

Avant même qu'elles aient eu le temps de répondre, Yannis le mit au courant des malheurs de Cathy.

— Malade? Aujourd'hui? s'étonna Nicolas. Ce n'est vraiment pas de chance. Et vous, Lucia? Comment s'est passée la traversée?

— Très bien. Je vous remercie. Mais Cathy a besoin de se reposer, c'est tout.

— Elle en aura le temps. Nous ne dînons pas avant neuf heures. Tu viens avec nous Yannis?

— Non. Je dois rentrer à l'hôtel. Au revoir Miss Cathy. A bientôt Lucia, si je ne vous revois pas aujourd'hui, lança-t-il à la jeune femme avec un regard plus langoureux que jamais.

Nicolas aida Cathy à monter en voiture. Les routes n'étaient pas bonnes, mais le trajet ne serait pas long. Les autres invités étaient à la plage. Elle aurait le temps de se reposer et de se changer avant leur retour.

La route fut en effet pénible. La pauvre Cathy crut devenir folle. Elle en avait presque les larmes aux yeux.

— Nous y serons dans deux minutes, annonça Nicolas.

Bientôt, la mer s'étendit devant eux dans toute son immensité. Vue des collines, elle semblait plus bleue encore. Au loin, se profilaient les silhouettes bleutées de petites îles semblables à Marina. Telles de minuscules barques, on les aurait crues amarrées. En eût-on relâché l'ancre, on les imaginait aisément s'éloigner en flottant pour aller se perdre entre le ciel et l'eau.

Enfin, on aperçut la maison. Sa blancheur était aussi aveuglante que celle des maisonnettes du port. Arrivant des collines, on en voyait tout d'abord le toit en terrasse, l'opulente végétation qui l'entourait, et des meubles de jardin disposés çà et là.

La jeep prit un dernier virage, puis s'engagea dans l'allée qui menait à la villa.

La fraîcheur et la douce clarté qui régnaient à l'intérieur de cette dernière étaient fort apaisantes.

Nicolas conduisit immédiatement les jeunes femmes à leur chambre respective. Celle de Cathy était en crépi blanc. Une petite porte permettait d'accéder à la chambre voisine : celle de Lucia.

— Je vous laisse vous occuper de votre sœur, Lucia. Lorsque vous l'aurez couchée, venez prendre un verre avec moi. Je serai sur la terrasse. Vous n'aurez qu'à longer le couloir. Elle se trouve de l'autre côté de la salle de séjour.

Nicolas parti, Lucia retourna dans la chambre de Cathy. Celle-ci était assise sur le bord de son lit, prête à fondre en larmes.

— J'ai mal à la tête. J'en ai assez, Lucia, commença-t-elle, d'une voix chevrotante.

On aurait dit une enfant. Lucia s'assit à côté d'elle, et passa son bras autour des épaules de la jeune fille.

— Ma pauvre chérie... Repose-toi, tu te sentiras mieux demain. Laisse-moi t'aider à te déshabiller. Ensuite, je t'apporterai de l'aspirine. Tu as entendu ce que Nicolas a dit. Nous dînerons tard. Tu as le temps de te remettre avant de voir les autres.

La jeune fille s'endormit rapidement. Lucia défit ses bagages, et ceux de sa jeune sœur puis se rinça le visage à l'eau fraîche. Son ensemble n'avait presque pas souffert du voyage. Cependant, elle choisit de l'abandonner pour une robe sans manche, beaucoup plus en rapport avec la température ambiante.

Consciente de reculer le plus longtemps possible le moment où elle devrait affronter son hôte, la jeune femme passa de longues minutes à se brosser les cheveux. La villa n'était pas du tout comme elle se l'était imaginée. Sa chambre était grande mais nullement luxueuse. On aurait dit une chambre de couvent avec ses murs dénudés et son couvre-lit en grosse toile. Le lit, un placard et une commode servant à la fois de coiffeuse étaient les seuls éléments du mobilier. Seule une magnifique croix en mosaïque venait apporter une touche de fantaisie à la pièce.

Ne pouvant reculer plus longtemps le moment fatidique, Lucia se décida à traverser le couloir. Le reste de la villa était meublé avec la même simplicité. Mais nulle part, elle ne trouvait trace de l'atmosphère à laquelle elle s'était attendue.

Sur la terrasse, Nicolas était allongé dans une chaise longue, un journal grec entre les mains.

— Ah, vous voici. Comment va Cathy? demanda-t-il en se levant.

— Elle dort. Mais si elle ne va pas beaucoup mieux d'ici le repas, je crois qu'elle ferait mieux de rester au lit.

— Vous avez raison. Je ne suis pas sujet au mal de mer; mais c'est certainement très pénible. Son arrivée à Marina n'a pas été réussie.

— Non, en effet. Mais je penserai à prendre des cachets, la prochaine fois.

— Je vais chercher à boire. Je reviens dans une minute, coupa Nicolas, avant de disparaître à l'intérieur.

Etrange... Il n'avait pas de domestiques pour le servir, remarqua la jeune femme en silence. C'était peut-être normal: il n'était que cinq heures. A cette heure-là, en Grèce comme dans la plupart des pays chauds, tout le monde faisait la sieste. Le personnel devait être au repos et réapparaîtrait vers six heures.

Cinq minutes plus tard, Nicolas revint avec une carafe d'orangeade et deux verres dans les mains. Il les remplit et en tendit un à Lucia.

— *Ya sas!* fit-il en levant son verre.

La jeune femme avala lentement deux ou trois gorgées d'orangeade. Se souvenant soudain de la cause de son absence à l'aéroport, elle demanda des nouvelles de la petite fille à son compagnon.

— Oh, elle trotte comme un lapin. Elle est partie à la plage, répondit-il, en pointant du menton un sentier en contrebas.

De la terrasse, on ne pouvait apercevoir la plage. Mais on entendait des rires et des cris d'enfants s'en échapper.

— Sa mère se serait affolée, si elle avait été là. Les femmes sont terribles dans ces cas-là... Pas toutes, bien sûr... Je suis sûr, par exemple, que vous vous en seriez sortie encore mieux que moi. Vous devez être habituée à ce genre de choses, non?

— Un peu, oui... admit Lucia.

Elle avait presque terminé son verre et Nicolas le remplit à nouveau. Puis, laissant glisser son regard le long de la silhouette de la jeune femme, il demanda :

— C'est une nouvelle robe. Vous l'avez achetée pour les vacances?

— Oui, effectivement.

— En Grèce, lorsqu'une personne s'achète un nouveau vêtement, nous lui souhaitons toujours qu'il lui porte chance.

Son regard était insistant. Lucia parvint tout de même à sourire, et répliqua :

— *Efharistó, Kyrie.*

Il sembla surpris.

— Vous avez même pris la peine d'apprendre le grec?

— Quand on visite un pays étranger, disait mon père, il faut toujours savoir dire au moins bonjour et merci.

— Il avait tout à fait raison. Mais, peu de gens

61

suivent son conseil. Les Anglais sont particulièrement forts dans ce genre de choses. Leur langue est parlée un peu partout; ils ne font donc aucun effort pour apprendre celle des autres. Même les plus cultivés ne savent même pas bredouiller deux ou trois mots de français.

— Vous parlez grec couramment, je suppose?

— Oui, c'est ma langue maternelle. Jusqu'à l'âge de sept ans, je n'en ai pas parlé d'autre. Je suis né sur cette île, et s'il n'y avait eu la guerre, j'y aurais certainement vécu toute ma vie... En 1947, lorsque les choses ont commencé à mal tourner en Grèce, mon père nous a envoyés en Angleterre. Il a été tué en Crète, l'été 1948. L'année suivante, ma mère est morte dans un accident d'avion.

— Oh, vous avez dû vous sentir seul... fit Lucia visiblement touchée.

— A l'époque, oui. J'avais dix ans et j'avais du mal à m'intégrer à l'école primaire. Plus tard, j'ai pris conscience que c'était la meilleure chose qui ait pu arriver à ma mère. Elle se serait sentie perdue, là-bas, sans mon père, cependant, elle serait restée pour moi.

— Qui s'est occupé de vous, à sa mort?

— Le frère aîné de mon père et sa femme. Ils ont tout essayé pour me faire oublier mes origines grecques. Malheureusement — enfin de leur point de vue — ils n'ont réussi qu'à provoquer le contraire...

— Pourquoi n'habitez-vous pas en permanence ici, si vous vous sentez plus Grec qu'Anglais?

Sa voix prit tout à coup une expression de moquerie acerbe.

— J'ai des goûts de luxe. A Marina, celui qui gagne mille drachmes est riche comme Crésus. Pour moi, elles suffisent à peine à me payer une paire de chaussures, ou un dîner en tête à tête au Savoy, répondit-il avec un sourire provocant sur les lèvres.

La compassion profonde que Lucia avait éprouvée en apprenant son enfance malheureuse — son exil, sa condition d'orphelinat — s'évanouit d'un seul coup.

Si à l'âge de dix ans, Nicolas Curzon avait suscité la pitié, à trente-huit ans, il était devenu l'homme le plus cynique et le plus égocentrique qu'elle ait jamais connu.

— Comment votre père faisait-il pour vivre ici, alors? demanda-t-elle, parvenant à dissimuler son mécontentement.

— Il était sculpteur. Il travaillait ici et là...

Soudain, il s'interrompit et tendit l'oreille. Des voix fluettes se rapprochaient.

— On dirait bien que c'est eux. Ils devaient être curieux de vous voir, je suppose. Ils ont fait une grimace quand je leur ai dit que vous étiez institutrice, fit-il avec un sourire amusé.

Bientôt, les voix se turent. La pente devait les essouffler.

A quoi ressemblaient-ils? se demanda la jeune femme, craignant d'éprouver pour eux la même antipathie.

Nicolas sembla lire dans ses pensées.

— N'ayez pas peur. Ils ne vous mordront pas, dit-il.

Soudain, trois enfants apparurent. Leurs jambes brunes étaient encore couvertes de sable blond, et leur chevelure hirsute alourdie par le sel.

Ils étaient tellement essoufflés que Nicolas attendit deux minutes avant de les présenter.

— Voici la progéniture de ma sœur cadette, Lucia : Francesca, Stéphane et Ariane. Les enfants : voici Miss Gresham.

La plus vieille des trois, Francesca, devait avoir une quinzaine d'années. Elle portait un bikini jaune, et promettait d'être un joli brin de fille. Stéphane, certainement âgé d'une douzaine d'années, était un gentil garçon bien taillé. Enfin, la benjamine, Ariane, avait de bonnes petites joues et le ventre rondelet de tous les jeunes enfants.

— Bonjour Miss Gresham, commença Francesca en s'avançant la main tendue.

— Bonjour, répondit Lucia en souriant.

Stéphane suivi d'Ariane s'avancèrent à leur tour.

Une fois les formalités accomplies, Nicolas reprit la parole.

— Je dois aller chercher Tante Katina au village. Je compte sur vous pour vous occuper de Miss Gresham, les enfants, d'accord? Emmenez-la voir la plage.

Puis, il se tourna vers Lucia en souriant.

— Je peux vous laisser entre leurs mains, à présent? Je serai de retour dans une demi-heure.

Et, sans attendre de réponse, il disparut.

Francesca se laissa tomber mollement sur le fauteuil de son oncle.

— Quel toupet, ce Nico! D'après son portrait, vous étiez un véritable dragon! fit-elle, en rougissant légèrement.

— Comment cela? s'enquérit Lucia, alarmée.

— Vous êtes bien institutrice, n'est-ce pas? demanda l'adolescente, avec une pointe d'inquiétude dans la voix.

— Oui, c'est exact.

— Ouf! J'ai eu peur de vous avoir confondue avec l'autre... Où est votre sœur, Miss Gresham?

— Elle n'a pas bien supporté la traversée. Elle est restée à se reposer.

— Ah, je vois... la pauvre, c'est dommage pour elle. Ce doit être à cause de l'huile d'olive. Beaucoup d'Anglais ne la supportent pas.

— Non, ce n'est pas cela. Elle a eu le mal de mer, c'est tout.

— Le mal de mer? Aujourd'hui? s'exclama Stéphane, incrédule, mais il n'y avait pas un brin de vent!

— Je sais, mais c'est ainsi...

— Moi aussi, ça m'est arrivé, coupa la voix fluette d'Ariane,... Chez Harrods... J'avais vomi sur toute la moquette... Maman m'a grondée très fort, ce jour-là.

— Elle a eu raison. Tu aurais pu la prévenir! s'exclama Francesca.

— Mais, je ne pouvais pas le savoir! C'est sorti de mon ventre, comme ça... D'ailleurs, ajouta l'enfant en se tournant vers Lucia non sans une certaine fierté,... on en voit encore la marque...

— Tais-toi! coupa Francesca en faisant une grimace, tu vas rendre Miss Gresham malade... Vous ne voulez pas aller voir la plage, Miss Gresham? Nous pourrions nous baigner ensemble. L'eau est très bonne.

— D'accord, fit Lucia, je vais me changer.

Puis elle ajouta avant de s'éloigner :

— Mais, il faut m'appeler Lucia à partir de maintenant.

En deux minutes, elle avait enfilé un maillot de bain vert. Elle jeta un coup d'œil dans la chambre de Cathy. Celle-ci dormait encore.

Dehors, Stéphane et Ariane étaient déjà repartis en direction de la plage.

Lucia complimenta Francesca pour son bronzage. Comme sa peau paraissait blanche à côté de celle de l'enfant !

— Vous serez bientôt aussi noire que moi, répondit Francesca, le tout est de ne pas brûler. Si vous n'avez pas d'ambre solaire, je vous en prêterai.

Lucia la remercia gentiment.

— Tu es venue avec tes parents? demanda-t-elle.

Le joli regard bleuté de l'enfant s'assombrit tout à coup.

— Non, Papa est à Rome et Maman à Paris, répondit-elle malgré tout, il n'y a que nous, Nico et Tante Katina.

— Personne d'autre ne doit arriver, questionna Lucia étonnée.

— Non, non... Ou bien Nico ne nous en a pas parlé.

La jeune femme n'insista pas.

Bientôt, à l'angle du sentier, la plage, long croissant de sable caressé par les ombres cristallines de l'élément marin, apparut dans toute sa splendeur. Stéphane et Ariane étaient déjà en train de s'ébattre dans une eau turquoise.

— Nous n'avons le droit de nous baigner que

lorsqu'il y a un adulte avec nous, expliqua Francesca, Nicolas nous laisse faire tout ce que nous voulons; mais il est intransigeant lorsqu'il s'agit de baignade. Si nous lui désobéissions, il nous renverrait à la maison immédiatement... Vous devriez le voir nager, ajouta l'enfant pleine d'admiration, c'est un vrai champion!

L'eau n'était pas, à proprement parler, « terriblement chaude ». Mais, toutes proportions gardées, Lucia n'en avait jamais connu d'aussi chaude.

Lorsqu'elle sortit de l'eau, les enfants la suivirent sans protester. Elle devait rentrer, Cathy était certainement réveillée. Elle se laissa guider. A un passage difficile, Stéphane lui tendit sa petite main. Ils étaient vraiment bien élevés.

En arrivant, ils aperçurent Nicolas sur la terrasse. Une vieille femme vêtue de noir était assise à ses côtés.

Il se leva en laissant glisser son regard le long des membres blancs de la jeune femme et sur son maillot mouillé. Que n'avait-elle son peignoir de bain!

— Lucia, je vous présente ma tante. Elle n'a jamais quitté l'île de sa vie. Elle ne parle pas un mot d'anglais.

Les deux femmes se regardèrent. Lucia fut légèrement intimidée par le regard sombre qui la scruta, un instant. Impossible d'y lire la moindre expression ou réaction.

— *Héro poli, kyrìa,* lança timidement la jeune femme.

Immédiatement, le visage de la vieille dame s'illumina. Elle étreignit chaleureusement les deux mains de Lucia dans les siennes.

— *Kalos irthate, Thespoinis.*

Lucia trouva fort heureusement la bonne réplique à cette formule de bienvenue.

— *Kalos sas vrikame,* répondit-elle.

La Tante Katina se tourna vers Nicolas, et lui adressa quelques mots dont Lucia ne put saisir la signification. Elle ne comprit d'ailleurs pas plus ceux que celui-ci adressa à la vieille dame en retour.

— J'ai averti Tante Katina que vous connaissez uniquement quelques mots grecs... Ainsi, elle ne se lancera pas dans des conversations interminables!

— Ah, je vois, fit Lucia se demandant malgré tout pourquoi Nicolas avait eu un petit sourire ironique durant ce bref échange de paroles.

Puis, la vieille dame grecque se tourna vers les enfants. A ses gestes, Lucia devina qu'elle leur demandait d'aller se préparer pour le dîner. La jeune femme s'excusa, et en profita pour les suivre.

En partant, elle avait laissé la porte de communication entrouverte. Cathy l'entendit donc entrer.

— C'est toi? appela cette dernière.

— Oui, répondit Lucia, passant d'une chambre à l'autre. Comment te sens-tu? Mieux?

— Un peu mieux, oui.

Puis, comme elle apercevait le maillot de bain mouillé de Lucia elle s'écria :

— Oh, tu es allée te baigner? Combien de temps ai-je dormi?

— Une demi-heure, pas plus...

— Tu as vu les autres? Comment sont-ils?

— Oui, je les ai vus. Ils sont tous très gentils.

— Dis-moi... Les femmes sont-elles vraiment très élégantes?

— Elégantes?... Non, ce n'est pas le mot exact, mais elles sont très jolies, répondit Lucia, en s'efforçant de retenir un fou rire.

— Et les hommes? Combien y en a-t-il?

— Seulement un... Il n'est pas mal non plus.

Puis sentant qu'il était injuste de faire marcher sa jeune sœur ainsi, Lucia coupa court à la plaisanterie.

— ... Ce sont des enfants, Cathy... Le neveu et les nièces de Nicolas.

La jeune fille était interloquée.

— Ce n'est pas possible... Nicolas... Où sont les adultes?

— Il n'y a pas d'adultes... Mise à part la vieille Tante Katina. Elle s'occupe de la maison.

— Quoi? Pas d'adultes?! Mais, Nicolas m'avait parlé

d'invités! Il ne pensait certainement pas à sa Tante et à ces gosses!

Mais, voyant que Lucia ne bronchait pas, elle sembla se rendre à l'évidence.

— C'est vraiment le comble! Il m'avait parlé de passer quelques jours avec des amis, pas de faire des pâtés de sable avec des sales mioches!

— Tu venais pour être avec Nicolas, non? observa sèchement Lucia, le reste ne doit pas avoir d'importance pour toi?

— Et pourquoi? On s'amuse beaucoup plus en bande. Je croyais que nous serions au moins une dizaine!

— Et le nombre restreint de chambres ne t'a pas mis la puce à l'oreille?

— Les chambres, c'est autre chose..., s'exclama Cathy d'un ton irrité, d'ailleurs, j'ai horreur de la mienne! On dirait un caveau! Et puis, regarde les draps... Ils t'arrachent la peau!

Lucia se baissa pour les sentir.

— Oui, mais ils sont inusables. Et puis, ils sentent bon la fraîcheur... On a dû les plier avec de la lavande.

— Peut-être, mais en attendant, moi j'aime les draps doux... et puis de la moquette au sol, et une coiffeuse, si possible!...

Lucia la laissa pester et partit prendre un bain. Elle rinça son maillot, prit soin de l'emballer dans un sac en plastique et sortit dans le couloir en quête d'un endroit où l'accrocher. Elle y rencontra Francesca qui lui indiqua une corde à linge dans le jardin, puis lui proposa de venir visiter la chambre qu'elle partageait avec Ariane. Stéphane, lui, dormait avec Nicolas.

Mise à part la présence de deux lits superposés et d'une commode supplémentaire, la chambre était identique à celle de la jeune femme et de sa sœur. Perchée à l'étage supérieur, Ariane écoutait son oncle lui lire une histoire.

Celui-ci n'avait pas entendu la jeune femme entrer et

continua donc son récit, l'une des fameuses aventures de Michael Bond. Lucia nota avec surprise qu'il y mettait parfaitement le ton, changeant de voix pour chaque personnage. Au-delà des frontières du réel, l'enfant s'était blottie dans les bras de Nicolas, comme Lucia elle-même l'avait fait dans ceux de Malcom Gresham, lorsque celui-ci était encore de ce monde.

Un chapitre venait de se terminer et Nicolas ferma le livre.

— Oh, encore un... Nico s'il te plaît, supplia la petite fille.

— Non, pas ce soir, mon chou.

Puis, il sauta légèrement sur le sol. A cet instant seulement, il aperçut la jeune femme.

— Oh, Lucia. Je ne vous avais pas vue...

Il semblait tout à fait à l'aise, nullement gêné. Il demanda immédiatement des nouvelles de Cathy.

— Elle va beaucoup mieux, je vous remercie. Elle est en train de prendre un bain. Puis-je me rendre utile auprès de votre tante?

— Non, je ne pense pas; Francesca s'en charge quand c'est nécessaire.

— Tu ne veux pas me lire encore un chapitre, Lucia? lança Ariane pleine d'espoir... Elle a dit qu'on pouvait l'appeler Lucia, ajouta-t-elle à l'adresse de son oncle, en voyant celui-ci froncer les sourcils.

La jeune femme sourit. La petite fille était vraiment adorable dans son pyjama bleu ciel, avec ses cheveux blonds. Le sourire était consentant.

— Cela ne vous dérange pas, vous êtes sûre? insista Nicolas.

— Absolument pas. J'adore les aventures de Michael Bond.

Avant même que Lucia ait eu le temps de grimper au petit escalier qui menait au lit supérieur, Nicolas l'avait prise par la taille et haussée lestement à côté de sa nièce.

Il l'avait soulevée avec la même aisance que s'il s'était agi d'un enfant. Lucia était mince, certes, cependant même un homme comme Bernard, n'aurait pu le faire avec autant de facilité. Elle laissa échapper un petit cri de surprise et rougit. L'enfant s'en amusa :

— Il est fort, n'est-ce pas? fit-elle en riant.

— Tais-toi, chipie, coupa-t-il en lui ébouriffant la chevelure pour s'amuser, et sois sage.

Puis, il sortit de la chambre, non sans avoir lancé à Lucia un regard moqueur : les raisons pour lesquelles la jeune femme avait rougi ne lui avaient pas échappé.

Cathy finissait de se maquiller lorsque Lucia réintégra ses quartiers.

— Où étais-tu passée pendant tout ce temps?

— Je lisais une histoire à Ariane.

Cathy colorait soigneusement ses cils avec un mascara bleu.

— Ah, c'est pour cela que Nicolas t'a demandé de venir. Ce n'était pas pour me surveiller, mais pour te faire garder les gosses... Je n'y avais pas pensé.

— Pas du tout, il aime beaucoup être avec eux... Et puis, les deux plus vieux sont assez grands pour s'occuper d'eux tous seuls!

— Quel âge a le plus jeune? Six ans, m'as-tu dit? Alors je serais bien surprise qu'il veuille s'en encombrer! Ce n'est pas du tout son genre, Dieu merci!

— Peut-être ne le connais-tu pas vraiment?

— Il ne m'en a jamais parlé. C'est sans doute parce qu'il s'en moque pas mal... Leurs parents ont dû vouloir s'en débarrasser et les lui ont laissés sans lui demander son avis... Il a donc immédiatement pensé à toi pour s'occuper d'eux!

Nicolas avait présenté Lucia comme un dragon à Francesca. Il n'avait pas eu entièrement tort. Mais l'avait-il vraiment pensé? Peut-être Cathy avait-elle raison en affirmant qu'on avait dû confier cette garde de force à Nicolas. Le regard de Francesca s'était ombragé, lorsque Lucia lui avait posé des questions sur ses parents. Il devait bien y avoir quelque raison cachée à leur éloignement.

L'idée que Nicolas ait pu ne pas être sincère, dans la cuisine, à Mayrose, irrita fortement la jeune femme. Elle retourna dans sa chambre sans dire un mot.

De nouveau, elle était en colère contre lui. Mais, cette fois, elle était blessée aussi; et depuis ce soir — depuis ce bref incident dans la chambre de l'enfant — elle ne pouvait plus nier l'origine de cette blessure profonde. Lorsque les mains de Nicolas s'étaient refermées sur sa taille, Lucia avait senti vibrer toutes les fibres de son corps. Au simple souvenir de ce bref contact, elle le sentait encore prêt à s'enflammer à nouveau.

Mais c'était bien pire! Depuis la première fois, depuis le soir où elle avait trouvé Nicolas dans les bras de Cathy, elle l'avait deviné : l'appel obsédant de son charme irrésistible ne cesserait plus de la tourmenter.

Le soir, Yannis vint leur rendre visite vers neuf heures. Kyria Katina était affairée dans la cuisine, et Nicolas offrait à ses deux hôtes un verre du célèbre apéritif grec : l'*ouzo*. Yannis s'adressa à Cathy pour lui demander très courtoisement de ses nouvelles, mais son sourire le plus envoûtant alla immanquablement à Lucia :

— Et vous, belle Lucia... Comment trouvez-vous mon île? N'est-elle pas magnifique?

— Si, en effet Yannis, répondit la jeune femme en jetant un regard oblique du côté de Nicolas pour guetter sa réaction devant une telle manifestation affective.

Mais, il allumait une cigarette. Elle ne put donc pas voir ses yeux.

— Demain, je vous montrerai l'hôtel, poursuivit Yannis en se servant de ces délicieuses friandises que l'on appelle *mezés*.

— Mais, demain... Nous serons Vendredi Saint...

— Les Pâques de l'Eglise Orthodoxe ne coïncident pas toujours avec celles des Eglises Catholiques ou Protestantes. Cette année, en Grèce, Pâques se situe un peu plus tard qu'en Angleterre, expliqua Nicolas.

Kyria Katina appela pour passer à table. Le dîner était prêt. La pièce principale faisait double emploi. Autour de la cheminée, un petit salon avait été aménagé, avec sofa et fauteuils; de l'autre côté, se trouvait le coin salle à manger. Nicolas aida Cathy à s'asseoir, avant d'aller s'installer lui-même en bout de table. Yannis, lui, s'occupa de placer Lucia.

— La cuisine grecque diffère peu de la cuisine anglaise... Mal cuisinée, elle est immangeable; mais bien préparée, c'est un vrai délice! Ce soir, nous avons de la *moussaka*. C'est une spécialité nationale. Voulez-vous essayer notre *retsina,* Lucia, ou bien préférez-vous un vin ordinaire? demanda Nicolas.

— De la *retsina,* s'il vous plaît.

— Je m'en doutais, fit-il d'un ton difficile à interpréter.

Puis, s'adressant à Cathy :

— Je vous sers du vin ordinaire. Vous n'aimerez pas la *retsina.* Les Anglais en général lui trouvent un goût de térébenthine.

La *moussaka* était excellente. C'était un mélange de viande hachée menu, d'aubergines, de tomates et d'oignons. Le tout était accompagné d'une sauce au fromage. Seule Cathy ne l'apprécia pas.

— Eh bien, Lucia, que pensez-vous de notre *retsina?* demanda Nicolas, après que la jeune femme eut avalé sa première gorgée.

Elle en but un peu plus. Elle n'avait jamais rien goûté de tel auparavant.

— Ne vous forcez pas, lança sèchement Nicolas en voyant la jeune femme tarder à répondre. Très peu d'étrangers l'apprécient. Laissez-le, et prenez de l'autre vin.

Lucia refusa. Elle préférait effectivement la *retsina,* puis, se tournant vers Kyria Katina, elle lui fit comprendre que la *moussaka* était délicieuse. Le visage de la vieille dame s'épanouit.

Le repas se termina par des fruits et un café grec. Le

dîner fini, Yannis emmena Lucia sur la terrasse. La mer était magnifique sous le clair de lune.

— L'air s'est rafraîchi. Vous devriez enfiler une veste, suggéra-t-il, appuyé sur le rebord du balcon, les yeux baissés vers la mer aux reflets d'argent.

— Non, je n'ai pas froid. La nuit est belle, répondit Lucia en respirant une pleine bouffée d'air salé.

Il passa son bras autour de la taille de la jeune femme.

— Votre corps est encore chaud... j'aime votre parfum... comment s'appelle-t-il?

— *Fraîcheur Bleue*... c'est une eau de toilette, répondit-elle en essayant de se dégager légèrement.

Elle n'y parvint pas. Yannis avait resserré son étreinte. Il avait rapproché son visage du cou de la jeune femme. Puis, soudain, il y déposa ses lèvres.

Lucia se surprit elle-même. Elle n'en était ni ennuyée, ni embarrassée. C'était même fort agréable... Mais lorsque Yannis l'attira doucement contre lui, avec l'évidente intention de l'embrasser sur les lèvres, elle le repoussa gentiment. Il sembla ne pas comprendre.

— Pourquoi? Vous ne m'aimez pas?

— Si, Yannis. Mais...

— Vous n'êtes pas fiancée?... Alors pourquoi ne puis-je pas vous embrasser?

— Hier, à cette heure-là, nous ne nous connaissions même pas, rappela-t-elle.

— Oui, mais j'ai voulu le faire dès le premier instant où je vous ai vue... Alors, pourquoi nous refuser ce plaisir, si nous en avons envie tous les deux?

Que répondre à cela? Bien sûr, elle en avait envie! Le nier eût été pure hypocrisie. Elle aimait ces bras autour de sa taille, ce regard tendre et envoûtant, aux caresses pleines de promesses. Il n'y avait pas seulement un attrait physique; il y avait plus que cela...

Prenant son silence pour un consentement, Yannis l'attira un peu plus fortement contre lui, et avec une douceur infinie, commença de diriger lentement le visage de la jeune femme vers le sien.

Mais soudain, Lucia s'aperçut qu'ils n'étaient plus seuls. Légèrement en retrait, Nicolas était en train de les observer. Elle eut un mouvement de recul.

— Ne soyez pas timide, belle Lucia.

Il avait murmuré ces paroles, mais elles n'échappèrent pas à Nicolas.

— Tu fais erreur Yannis. Lucia n'est pas timide, remarqua le nouvel intrus en s'approchant. Simplement, elle n'aime pas les flirts qui ne mènent nulle part, n'est-ce pas Lucia?

Aucunement décontenancé par l'apparition soudaine de son cousin, Yannis garda son bras autour de la taille de Lucia. Celle-ci ne répondit pas à la question.

— Ah, c'est toi, Nico! Je ne t'avais pas vu arriver. Où est Cathy? demanda le jeune homme.

— Elle était encore pâle, je lui ai conseillé d'aller se coucher.

Lucia en profita.

— Je crois que je vais en faire autant. Au revoir, Yannis... Au revoir, ajouta-t-elle rapidement en se tournant vers Nicolas.

Lorsqu'elle rentra dans sa chambre, elle trouva Cathy en train de pester toute seule.

— Ça promet! s'exclama-t-elle de plus belle, nous sommes tombés dans un vrai trou perdu!

— Ne commences pas à te plaindre! Tu m'as suffisamment cassé les pieds pour venir ici, se récria Lucia irritée.

— Inutile de me rabâcher les oreilles avec ça!... Quelque chose ne va pas?

— Rien, je suis un peu fatiguée, c'est tout... Allez, va te coucher, Cathy. Nous avons toutes les deux besoin d'une bonne nuit de sommeil.

— D'accord, d'accord... Puisque tu le prends sur ce ton...

La jeune fille disparut dans sa chambre en claquant la porte.

Lucia regretta de s'être emportée. Mais après l'incident sur la terrasse, elle était trop irritée pour supporter sans broncher les lamentations de sa jeune sœur.

Pour l'une et pour l'autre, sous toutes les acceptions de l'expression, la journée avait été riche en événements...

4

Le lendemain matin, Lucia se réveilla avant toute la maisonnée et partit se promener.

La veille au soir, elle s'était couchée énervée. Mais, le sommeil n'avait pas tardé à la surprendre, et elle avait dormi comme un loir. Vers quatre heures, quelque chose l'avait réveillée, et depuis, elle n'avait pu se rendormir.

Elle se trouvait déjà à une bonne distance de la maison, lorsqu'elle entendit une voix appeler. Ennuyée, elle se retourna. C'était Nicolas.

— Bonjour, vous êtes matinale! Le lit n'était pas bon?

— Si, au contraire, répondit-elle poliment, je ne sais pas pourquoi je me suis réveillée si tôt. Mais, c'est la meilleure heure pour explorer les îles, disait mon père; alors, j'en ai profité.

— Il ne se trompait pas. Cela ne vous dérange pas si je vous accompagne? Je voudrais vous parler.

Et sur ces paroles prometteuses, il lui emboîta le pas sans attendre de réponse.

— Y a-t-il des monuments à visiter sur l'île? demanda-t-elle, au bout de dix minutes de marche silencieuse.

— Non, aucun. Mais si vous voulez, nous pourrions aller pique-niquer près des ruines d'un vieux temple qui se trouve sur une île voisine. Et puis, de toute façon, j'avais l'intention de vous emmener à Athènes pour vous faire visiter le Parthénon, avant votre départ.

— Au fait... En parlant d'Athènes..., nous vous devons de l'argent pour l'hôtel...

— Pour l'hôtel?... Ah, je vois! Non, non, il n'en est pas question! Vous êtes mes hôtes.

— Mais, cela n'avait rien à voir! Et puis, la note devait être importante... C'est à nous de...

— Non, vous dis-je!... coupa-t-il.

Puis, il ajouta avec un sourire ironique :

— Vous êtes bien trop pointilleuse, « *belle Lucia* ».

Dans la bouche de Yannis, l'appellation paraissait anodine ; dans celle de Nicolas, il ne pouvait en être de même. Elle avait des accents moqueurs.

La meilleure défense étant toujours l'attaque, elle releva le défi.

— Ah, nous y voilà! C'est ce dont vous vouliez me parler... Je ne dois pas prendre Yannis au sérieux, c'est bien cela?

— Il ne m'était même pas venu à l'idée que vous puissiez le faire, répondit Nicolas, avec un haussement d'épaules.

La réponse était embarrassante.

— Je ne vois pas pourquoi! Yannis est très séduisant... Plus d'une femme doit déjà être tombée amoureuse de lui. De plus, il doit avoir beaucoup de qualités.

— Oui, mais il est Grec... Et en Grèce, ajouta-t-il l'air très amusé, l'amour et le mariage sont deux choses tout à fait différentes. Les Grecs ont le sang chaud, mais ils ne sont absolument pas romantiques : ils épousent toujours la dot, pas la fille. De plus, celle-ci est rarement une étrangère... Question de principes!

Lucia ne fit aucun commentaire, mais dix minutes plus tard elle reprit :

— De quoi vouliez-vous me parlez? demanda-t-elle.

— Asseyons-nous un instant...

Lucia obtempéra. Puis, il y eut un long silence.

— Que pensez-vous des enfants? commença-t-il.

La jeune femme portait un corsage à fleurs et un pantalon de toile. Elle se recroquevilla sur ses genoux, et laissa son regard errer un instant dans la campagne.

— Ils ont l'air charmant.

Malcom Greshman lui avait toujours vanté l'extrême limpidité de la Mer Egée. Ce matin-là, toutes ses paroles prenaient un sens. Lucia eut l'impression de n'avoir jamais vu le monde qu'à travers une vitre sale. Aujourd'hui, tout prenait un aspect différent : les couleurs, le relief, la terre rouge et aride des champs d'oliviers étaient un véritable régal des yeux.

— C'était d'eux que je voulais vous parler, reprit Nicolas, en allumant une cigarette... Il serait bon que vous sachiez pourquoi ils sont ici sans leurs parents, au cas où vous vous en parleraient. En principe, ils ne sont pas au courant, mais je suis sûr que Francesca s'en doute.

Il s'arrêta un instant, l'air soucieux.

— Ma sœur et son mari sont sur le point de divorcer.

— Ah, je vois... Francesca doit s'en douter, en effet... Lorsque je lui ai demandé où étaient ses parents, hier, son regard s'est soudain assombri. Elle m'a répondu que son père était chez lui, et sa mère à Paris, expliqua Lucia pour répondre aux yeux interrogateurs de Nicolas.

— Quels imbéciles! s'exclama-t-il d'un ton irrité. Ils sont en train de tout gâcher!

Cette réaction surprit la jeune femme. Elle se serait plutôt attendu au cynisme le plus complet de la part de Nicolas.

— Si vous dites cela pour les enfants... c'est peut-être préférable ainsi. Dans ma classe, j'ai deux gosses dont les parents n'arrêtent pas de se battre; je les plains, les pauvres petits, ils en sont très malheureux.

Nicolas eut un geste impatient.

— Oui, mais dans le cas présent, ce n'est pas aussi grave. Ils font toute une montagne d'un événement sans importance.

Craignant d'être indiscrète, Lucia ne posa pas de question.

Il garda le silence pendant quelques minutes. La jeune femme l'observa sans y faire attention. Elle se prit soudain à admirer le contour sensuel des lèvres de son interlocuteur ainsi que la carrure athlétique de ses épaules. Irritée, elle détourna immédiatement le visage. Elle avait tant de raisons de le haïr!

— Les femmes sont terribles! Elles n'acceptent pas les défauts des autres, poursuivit-il.

Il semblait se parler à lui-même.

— Sophia a été élevée par une autre branche de la famille. Elle est beaucoup plus anglaise que nous tous. Elle mène Richard par le bout du nez! Elle aurait pu se douter qu'il ait envie de s'échapper! Il est si influençable... Il y a plusieurs mois, elle lui a découvert une maîtresse... c'était une passade, bien sûr; mais elle ne lui a pas pardonné et elle songe sérieusement au divorce.

— Qu'entendez-vous par une passade? interrompit Lucia, en écaillant le vernis à ongle de ses orteils.

— Un flirt sans importance... Richard n'est pas un Don Juan... C'est elle qui a commencé...

— Comment le savez-vous?

— Elle avait essayé avec moi, quelque temps plus tôt... Parfois, les femmes sont de vrais rapaces, vous savez... ajouta-t-il avec un sourire amusé.

— Peut-être votre sœur se sent-elle humiliée parce que son mari l'a trompée avec n'importe qui. Il n'aimait pas cette femme? Alors pourquoi sortir avec elle?

— Peut-être précisément parce que Sophia ne le rendait pas heureux.

— Ainsi quand un homme prend une maîtresse, c'est de la faute de sa femme? A votre avis, les torts sont pour votre sœur?

— Non, pas vraiment... mais il serait dommage de gâcher la vie de cinq personnes pour cet incident ridicule. Sophia en fait une question d'amour-propre!

— N'est-ce pas suffisant? s'écria Lucia indignée,

l'accepteriez-vous dans le cas inversé? Et pardonneriez-vous facilement à votre femme ce « petit écart »?

— Certainement pas! s'exclama vivement Nicolas,... Et puis, ce ne serait pas la même chose...

— Ah oui! Et où serait la différence?

Une moue moqueuse se dessina sur ses lèvres masculines.

— Feriez-vous partie du M.L.F.?... Allons, soyez honnête avec vous-même. Vous manquez certainement d'expérience en ce domaine, mais pas de jugeote, à coup sûr. C'est ce qui vous différencie de Cathy... Vous savez très bien qu'en matière de sentiments, les hommes ne réagissent pas du tout de la même façon que les femmes. Et l'égalité n'a rien à voir dans tout cela... Un homme attachera beaucoup moins d'importance à un flirt qu'une femme. L'engagement personnel n'est pas le même...

Lucia se releva et brossa son pantalon.

— J'en doute... mais en tout cas, c'est très pratique de raisonner comme vous le faites.

— Vous n'avez pas à en douter, c'est une certitude. Et je pourrais vous le prouver très facilement... fit-il en se relevant lestement. Si je vous embrassais maintenant, vous vous en souviendriez toute votre vie...

Lucia en eut un instant le souffle coupé.

— Par contre, vous l'auriez oublié dans cinq minutes, je suppose? rétorqua-t-elle avec un léger tremblement dans la voix.

— Qui sait? Il faudrait que j'essaie pour vous répondre... Vous avez peut-être des talents cachés, « belle Lucia »...

— Et si je refusais? Si je ne gardais aucun souvenir de votre baiser?

— Les femmes ont un terrible défaut... Elles ne savent pas être honnêtes avec elles-mêmes! Ce baiser vous ferait autant plaisir qu'à moi. Pourquoi ne pas l'admettre?

Un large sourire dégageait ses belles dents blanches.

— D'ailleurs, si je me trompais, vous ne seriez pas normale. Mais n'ayant jamais connu d'homme, il ne peut en être autrement...

— Ah oui? Et qu'est-ce qui vous fait dire cela? eut-elle l'imprudence de demander.

— Il n'y a qu'à écouter la façon dont vous respirez... Hier, avec Yannis, vous n'étiez pas inquiète : vous saviez qu'il ne vous embrasserait pas de force... mais en ce moment, vous vous demandez bien quelles vont être mes réactions... Je me trompe?

N'attendant pas de réponse, il se contenta de rire et poursuivit d'un ton dégagé :

— Mais, ne vous inquiétez pas... Je ne vous toucherai pas, fit-il en caressant légèrement la joue de la jeune femme, cependant, je demeure persuadé que vous vous souviendrez de cette promenade.

Lucia avait tour à tour rougi puis pâli. Sans dire un mot, elle tourna les talons et prit la direction de la maison. Plusieurs fois elle faillit se tordre la cheville.

A quelques mètres de la villa, Nicolas la rejoignit et l'arrêta en la retenant par le bras.

— Pour en revenir à notre point de départ, si l'un des enfants faisait une quelconque allusion à ses parents, je vous laisse juge d'agir comme il convient.

Lucia dégagea son bras d'un coup sec et poursuivit son chemin sans répondre, parfaitement consciente d'être le point de mire du regard sadiquement amusé de son interlocuteur.

Elle fila directement à sa chambre. Déjà levée, Cathy prenait une douche et semblait d'excellente humeur.

Lucia se laissa choir sur son lit. Jamais, elle ne pourrait supporter le petit jeu malsain que Nicolas semblait vouloir lui faire jouer. Pourquoi la tourmentait-il ainsi? Parce qu'elle feignait, à son égard, la plus parfaite indifférence? S'il savait!...

Cathy entra dans la pièce plus jeune et jolie que jamais. Lucia eut l'impression d'avoir dix ans de plus.

— Bonjour ! s'écria-t-elle gaiement, à quelle heure crois-tu qu'ils déjeunent ?

— Aussitôt que Nicolas et les enfants seront rentrés. Je les ai vus partir en direction de la plage.

J'espère qu'ils ne seront pas longs, je meurs de faim !

— Tu as fait ton lit ! demanda Lucia qui retapait le sien.

— Non ! La bonne est là pour ça... Ils doivent bien en avoir une !

— Ce n'est pas une...

Trop tard ! La jeune fille avait déjà franchi la porte.

Ils étaient encore en train de prendre le petit déjeuner, lorsque Yannis fit irruption dans la Land Rover que Nicolas avait dû lui prêter la veille pour rentrer à l'hôtel.

— Cela ne te fait rien si Lucia passe la journée avec moi, demanda-t-il à son cousin après avoir dit bonjour à tout le monde, nous déjeunerons à l'hôtel. L'après-midi nous irons nous baigner, et nous rentrerons vers sept ou huit heures... Enfin, si tu me prêtes la jeep...

— Personnellement, je n'y vois aucun inconvénient, mais, tu pourrais peut-être demander à Lucia ce qu'elle en pense.

Déconfit, Yannis lança un regard implorant à la jeune femme.

— Bien sûr, Yannis... Ça me ferait très plaisir, s'empressa-t-elle de répondre avec un sourire peut-être un peu trop large pour être naturel... mais je dois aller chercher mon maillot de bain.

Elle s'excusa auprès de Kyria Katina, sourit aux enfants et à Cathy, puis quitta la table sans même jeter un regard à Nicolas.

L'hôtel se trouvait à quelques kilomètres, au flanc d'une colline. On y avait une vue parfaite sur la mer.

— La saison commence tard, cette année... J'en suis bien content, sinon, je ne pourrais pas être avec vous, fit Yannis avant d'entrer.

Il la présenta à sa mère et à ses trois sœurs. Celles-ci

parlaient un anglais acceptable. Le reste du personnel parlait uniquement grec. Yannis offrit un rafraîchissement à la jeune femme, puis la fit monter dans les étages pour lui montrer les chambres. Ni trop modestes, ni trop luxueuses, celles-ci étaient tenues impeccablement.

— L'hôtel est avant tout une pension de famille. Il n'y a pas de divertissements... Alors, quand les touristes veulent aller à la taverne, ma sœur garde les enfants, expliqua Yannis.

Puis, il la laissa seule afin qu'elle puisse se changer. Lucia déboutonna son corsage et le déposa sur une chaise. Ce matin, elle aurait tout donné pour passer cette journée loin de Nicolas; mais à présent, elle ne parvenait pas à le chasser de son esprit. Que faisait-il avec Cathy?

Lorsqu'elle descendit sur la plage, Yannis était déjà dans l'eau. Elle posa son sac à l'ombre du parasol, et partit le rejoindre.

Au bout de quelques brasses, Lucia se laissa aller en faisant la planche et s'amusa à arroser Yannis par le battement de ses pieds. C'était divin! Comme il avait de la chance d'habiter ici! Puis, il aida la jeune femme à se hisser sur un caillebotis qui se trouvait à quelques mètres de la plage, après y être monté lui-même.

— ... L'hiver aussi tout doit être beau, ici, fit-elle, pensant presque à voix haute, et laissant clapoter ses pieds dans l'eau... J'aimerais bien pouvoir y amener mes élèves... La seule idée qu'ils ont de la mer, c'est la Manche! Quinze jours, ici, leur feraient le plus grand bien...

— Oui, mais ils ont des avantages que n'ont pas les enfants de l'île, rappela-t-il.

Puis, il marqua un temps avant de poursuivre :

— Je m'étonne vraiment que vous ne soyez pas mariée. Vous n'avez pas l'intention de rester institutrice toute votre vie?... Alors pourquoi?

Yannis semblait sincère en posant cette question.

— L'amour n'est pas un sentiment qui se commande,

vous savez..., accepta-t-elle de répondre avec un petit sourire amusé.

— Ah, je vois... les hommes qui vous ont demandée en mariage ne vous plaisaient pas?

— Non. On ne m'a *jamais* demandée en mariage, rectifia Lucia d'un ton sec.

— Je ne vous crois pas, s'écria Yannis en éclatant de rire, c'est impossible! Surtout en Angleterre où la dot n'a pas d'importance!... Lucia... fit-il soudain, en changeant de ton, je voudrais que le temps s'arrête pour nous... Si vous ne me croyez pas, tenez... touchez, ajouta-t-il en prenant la main de la jeune femme et en la posant sur son torse bronzé.

Lucia ne sut comment prendre ces dernières paroles.

— Je ne sens rien! fit-elle légèrement confuse.

Puis, sans plus attendre, elle retira vivement sa main, se laissa glisser du caillebotis et retourna vers la plage à la nage.

Ils se retrouvèrent sous le parasol, et se séchèrent en silence. Puis, Lucia sortit sa crème à bronzer de son sac.

— Laissez... Je vais vous le faire, proposa aussitôt Yannis, en lui prenant le tube des mains.

— Non, non... merci, s'empressa-t-elle de dire.

— Vous ne voulez pas que je vous touche? commença-t-il, l'air légèrement vexé.

Mais bientôt, il sembla comprendre, et un sourire apparut sur ses lèvres.

— Je sais... Vous avez peur que j'en profite, c'est cela? J'aurai dû m'en douter! En Angleterre, on ne fait jamais la cour à une femme avant le déjeuner...

Lucia ne put s'empêcher d'éclater de rire.

— Ah, les Anglais sont terribles! poursuivit-il sur sa lancée, ils ne savent pas écouter leur cœur! En Grèce, nous sommes beaucoup plus larges...

Lucia dégrafa les bretelles de son maillot de bain pour bronzer plus uniformément.

— Je croyais que les jeunes filles grecques étaient beaucoup moins libres que chez nous.

84

— C'est exact...

— Alors, il n'y a qu'avec les étrangères que vous pouvez laisser libre cours à vos instincts amoureux?

— Comment voudriez-vous que je les retienne quand je vous ai à mes côtés? rétorqua Yannis en se rapprochant.

Lucia eut une moue moqueuse.

— Yannis, n'exagérez pas! Je suis si terne en comparaison de Cathy!

— Cathy est très jolie, effectivement; mais ses yeux n'ont pas l'éclat des vôtres... Sa voix n'est pas aussi douce, ses lèvres sont moins attirantes que les vôtres!...

Disait-il cela parce que Nicolas avait présenté la jeune fille comme sa chasse gardée, ou bien le pensait-il sincèrement? Lucia n'osa poser la question.

— Votre cousin vient-il souvent avec des amis à Marina? se contenta-t-elle de demander.

— Non, jamais. L'été, Sophia et Richard viennent avec les enfants. Mais au printemps, Nico vient toujours seul. Nous avons été très étonné lorsqu'il nous à annoncé votre visite.

Il commença d'étaler doucement une crème bronzante sur le dos de la jeune femme. Cette fois, celle-ci ne broncha pas.

Ils remontèrent à l'hôtel vers midi. Après le repas, Lucia alla se reposer dans la chambre où elle s'était changée. Puis, vers quatre heures, ils redescendirent se baigner. Le reste de l'après-midi se passa tranquillement. Bientôt, il fut temps de retourner chez Nicolas.

— Avez-vous passé une bonne journée? demanda Yannis, dans la voiture.

— Délicieuse... Je vous remercie...

Il ôta la main du volant, et la tendit, paume vers le ciel, attendant celle de Lucia. Après une courte hésitation, la jeune femme la lui offrit. Alors, il l'amena près de ses lèvres, et y déposa un baiser d'une douceur infinie.

Après cinq jours passés à Marina, Lucia remontait le sentier qui menait à la villa avec autant d'agilité que les enfants. Cathy trouvait la chaleur étouffante, Lucia revivait à son contact. La jeune fille ne touchait à aucun plat. Sa sœur, au contraire, y faisait honneur avec un appétit d'ogre.

Le mercredi après-midi, à l'heure de la sieste, Cathy fit irruption dans la chambre de sa sœur.

— J'en ai par-dessus la tête! annonça-t-elle, en se laissant tomber dans un fauteuil, j'en ai assez... de tout... de la maison... J'ai envie d'exploser!

— De Nicolas aussi, tu en as assez? demanda Lucia allongée sur son lit, les bras repliés sous sa nuque.

— Non... Pas de lui... Mais nous n'avons jamais une minute à nous avec ces fichus gosses... C'est de ta faute! C'est à toi de t'en occuper... Mais tu es toujours avec Yannis!

— Si Nicolas veut que je m'en occupe, il n'a qu'à me le demander! Mais tu dois te tromper.

— Yannis est un vrai Casanova, paraît-il... fit Cathy au bout d'un moment... les filles de l'île sont intouchables, alors il s'en prend aux touristes... Tu es la dernière en titre!

— Dans ce cas, nous serons deux... Car la liste de Nicolas ne doit pas être mal non plus... répondit Lucia sans se démonter.

Cathy se leva d'un bond, l'air pincé.

— Je ne sais pas ce qui t'arrive!... Tu n'as pas l'impression de te rendre ridicule, en ce moment?

Lucia bâilla puis ferma les yeux.

— Absolument pas... Je m'amuse beaucoup, au contraire... Allez, va te reposer, Cathy. Je suis trop fatiguée pour me disputer.

— Mais je ne veux pas me reposer! J'en ai assez de me reposer! s'écria la jeune fille excédée, je veux m'amuser... Voilà ce que je veux...

— Alors, va te plaindre à Nicolas,... pas à moi,

murmura la jeune femme dans un suprême effort pour lutter contre le sommeil.

Cathy marmonna quelque chose entre ses dents et claqua la porte. La pauvre! Comme elle était méchante de ne pas l'écouter. Ces vacances étaient un véritable fiasco pour elle. Mais si elles lui permettaient au moins de se rendre compte de son erreur, c'était déjà cela! Mieux valait perdre quinze jours de sa vie que d'épouser un homme avec lequel elle ne se serait jamais entendue.

— Si elle savait comme je m'ennuie aussi, songea Lucia en soupirant.

Elle commençait à se lasser de Yannis.

Ce soir-là, Cathy apparut dans une tenue... époustouflante! Elle avait revêtu un minuscule boléro, formé de disques blancs et à demi transparents, avec une jupe excessivement courte. Kyria Katina ne put retenir un cri d'effroi, Yannis, lui-même, parut très surpris, quant aux enfants, ils ouvrirent des yeux ronds comme des billes. Seul, Nicolas resta stoïque. Peut-être comprenait-il la signification profonde de cette mascarade?

Lucia ne la saisit que bien plus tard; mais elle n'en fut pas moins mortifiée; Cathy semblait avoir oublié que les Grecs venaient d'entamer la Semaine Sainte. Aussi, Kyria Katina ne devait-elle en être que plus offensée.

Après dîner, les enfants aidèrent à débarrasser la table.

— Pourquoi n'irions-nous pas nous promener en ville? proposa Cathy, il doit y avoir de l'animation, le soir, dans les rues...

— Même s'il n'y en avait pas, vous risqueriez d'en créer, en sortant dans cette tenue-là! répliqua sèchement Nicolas. Pas question! Par contre, nous pouvons aller faire un tour à l'hôtel; on y passe un ou deux disques, le soir...

— Parfait! s'écria aussitôt la jeune fille.

N'importe quoi ferait l'affaire, pourvu qu'elle ne restât pas assise à se tourner les pouces sur la terrasse.

Elle alla enfiler un vêtement, et Nicolas la regarda s'éloigner avec un sourire aux coins des lèvres.

A l'hôtel, quelques touristes dansaient effectivement dans le salon. Au bout d'une heure, arriva le moment tant redouté de Lucia : Nicolas l'invita à danser. Elle en fut presque soulagée. L'attente était devenue insupportable. Elle était stupide d'avoir aussi peur, mais elle n'y pouvait rien. Contrôler l'expression de son visage, et le ton de sa voix étaient encore chose possible; mais maîtriser les battements de son cœur, était tout à fait hors de ses possibilités. Et c'était précisément cela que Nicolas ne devait pas soupçonner.

— Une semaine s'est déjà presque écoulée, vous êtes-vous bien amusée, ou bien regrettez-vous de vous être laissé forcer la main? demanda-t-il, dès qu'ils commencèrent à danser.

— Non, tout se passe très bien, répondit-elle poliment.

— Cathy ne semble pas être de votre avis...

— Le site lui importait peu. Vous auriez pu vous en douter...

— Je m'y attendais un peu, admit-il... mais ça ne lui fera pas de mal, au contraire... C'est une enfant gâtée.

Lucia se raidit.

— Comment osez-vous...

— La loyauté est une qualité admirable, ma chère Lucia; mais uniquement lorsqu'elle est sincère...

La jeune femme faillit le laisser tomber au beau milieu de la piste, mais elle se retint.

— Que voulez-vous dire? demanda-t-elle d'une voix blanche.

— Je vais vous l'expliquer... Mais un peu plus loin.

Et sans attendre de réponse, il entraîna la jeune femme à l'écart de tous, sur la terrasse. Là, il ôta son bras de sa taille, mais garda fermement sa main dans la sienne et se dirigea vers la plage.

Lucia s'essouffla. Ils n'étaient pas seuls. Deux amoureux s'embrassaient tendrement. Tenant toujours la jeune femme par la main, Nicolas rapprocha deux chaises longues l'une de l'autre.

— Trop près peut-être? demanda-t-il avec une pointe d'ironie dans la voix... Et comme cela, ça va mieux?

Lucia ne répondit pas et s'assit. Quoi qu'il dise ou quoi qu'il fasse, elle était décidée à ne pas perdre le contrôle d'elle-même.

— Vous êtes pleine de contradictions, Lucia. Toutes les femmes le sont, bien sûr... mais chez vous, le défaut est poussé à l'extrême... Cathy ne vous donne que des soucis, mais quand quelqu'un se risque à la critiquer, vous montez sur vos grands chevaux pour la défendre. Vous êtes parfaitement consciente de ses défauts; pourquoi voudriez-vous que je ne le sois pas?

Lucia ne répondit pas. Elle observait le manège des deux amoureux. Soudain, la femme s'enfuit en courant. En une seconde, l'homme l'avait rattrapée, et l'embrassait.

Lucia détourna vivement les yeux. Ce spectacle la remplissait à la fois de peine et d'envie. Nicolas ne devait rien savoir.

— Croyez-vous qu'il soit bien sage de voir Yannis aussi souvent? demanda-t-il soudain.

— Sage? répéta Lucia en se raidissant légèrement.

Elle regretta aussitôt d'avoir ouvert la bouche mais poursuivit :

— Notre amitié vous déplaît?

— Est-ce bien « d'amitié » dont il s'agit?

— D'accord, eh bien allons-y pour un *flirt*, puisque c'est ce que vous voulez m'entendre dire... Mais si cela peut vous rassurer, il n'y a rien de sérieux entre nous.

— Qu'en savez-vous?

— Yannis est un garçon charmant et très séduisant. Il est également plein de prévenances, mais je n'en suis pas l'unique bénéficiaire... J'en suis tout à fait consciente...

— Vous avez beaucoup changé!

— C'est possible, rétorqua-t-elle en haussant les

épaules. Rappelez-vous, vous m'aviez avertie : en venant à Marina, je pourrais découvrir une seconde Lucia. Vous n'aviez pas tort...

Sur ces mots, elle se leva. Nicolas la suivit.

— Oui, mais je demeure persuadé qu'il n'est pas raisonnable de voir Yannis si souvent, reprit-il.

Ce fut au tour de la jeune femme de hausser les sourcils.

— C'est un ordre ou une suggestion?

— Un conseil, sans plus...

Malgré ses résolutions, Lucia eut du mal à conserver son calme.

— Croyez-moi, j'ai suffisamment d'expérience pour connaître les limites de la sagesse humaine.

— Possible... Mais il se trouve que moi, je suis assez grande pour savoir ce que j'ai à faire...

— Vous, peut-être... mais Yannis? fit-il en se rapprochant légèrement. Il ne vous est pas venu à l'idée que Yannis pourrait tomber amoureux de vous? poursuivit-il en voyant le regard interrogateur de sa compagne.

Parlait-il sérieusement? Non, impossible! Il cherchait uniquement à la troubler.

— Je croyais que les Grecs ne tombaient jamais amoureux, et que seules les dots les intéressaient, lui rappela-t-elle.

— Il y a quelques jours, c'était encore exact; mais ça ne l'est plus...

Il se rapprocha à nouveau. A nouveau, elle recula.

— Attention, vous allez salir vos jolies sandales.

Il avait raison. Songeant uniquement à éviter tout contact avec lui, elle ne s'était pas aperçu de la proximité de l'eau. Elle était coincée.

— Nous ne rentrerons que lorsque j'aurai obtenu de vous la promesse de ne plus vous amuser avec Yannis...

— Ainsi, Cathy avait raison, coupa-t-elle, décidée cependant à ne pas s'emporter, vous m'avez amenée ici uniquement dans le but de me faire garder les enfants?

— Cathy vous a dit cela? Quelle bêtise! Les enfants sont assez grands pour veiller sur eux-mêmes!

— Vous n'allez tout de même pas me faire croire que Yannis est amoureux de moi!

— Pourquoi pas? Tout homme trouve un jour chaussure à son pied... Mais si vous deviez être celle de Yannis, ce serait un désastre...

— Je vous remercie, coupa-t-elle sèchement.

— Mis à part le fait que vous ne seriez pas faits pour vous entendre, Yannis doit d'abord songer à placer ses sœurs avant de penser à se marier.

— C'est ridicule! s'exclama-t-elle. Il n'est absolument pas question de mariage entre nous... Il ne m'a encore jamais embrassée...

— Alors, il a dû essayer; et s'il ne l'a pas encore fait, ça ne saurait tarder. Vous ne pourrez pas le repousser indéfiniment... Et si vous en aviez l'intention, ce ne serait pas juste...

— Je... Il... Oh, mêlez-vous de vos affaires! s'écria-t-elle exaspérée, en essayant de dégager son poignet... Vous me faites mal!

— Il y a des moments où j'aurais bien envie de vous tordre le cou, l'informa-t-il doucement. Ne soyez pas idiote, Lucia! Ne vous êtes-vous pas regardée dans une glace, récemment?... Vous vous sous-estimez, comme toujours. Cathy fait piètre mine à vos côtés! Vous êtes une fille du soleil, Lucia. Kyria Katina me le disait encore ce matin : elle n'a jamais vu quelqu'un changer comme vous l'avez fait, durant cette dernière semaine. Elle avait raison. Vous êtes différente.

Il laissa sa main remonter doucement le long du bras nu de la jeune femme.

— Quel rapport? demanda-t-elle, en ravalant sa salive.

Il se rapprocha encore. Leurs corps se frôlaient.

— Nous ne sommes pas en Angleterre, et Yannis n'est pas Bernard. D'ailleurs, même Bernard ne resterait pas longtemps froid, s'il vous voyait en ce moment... Il ne serait pas le seul, d'ailleurs...

Lucia retenait sa respiration. Un curieux frisson la parcourut. Elle aurait voulu s'enfuir, mais ses genoux se dérobaient sous elle. Elle aurait voulu parler, mais ses lèvres restaient closes. S'il l'avait prise dans ses bras, elle se serait laissé faire avec le même abandon que la jeune femme, tout à l'heure.

Mais au lieu de cela, il fit un pas en arrière.

— Songez-y. Mais si vous décidez de ne pas prendre mon avertissement au sérieux, je m'arrangerai pour ramener Yannis à la raison.

Et avant même qu'elle ait eu le temps de répondre, il s'était éloigné dans la nuit, la laissant seule sur la plage.

5

Le lendemain matin, Lucia se réveilla au son des cloches. Grand jour de deuil national, le Vendredi Saint commençait.

Pendant le petit déjeuner, Nicolas proposa d'aller en ville pour assister à l'*Epitaphios*. Tous sauf Cathy en parurent enchantés.

Yannis ne pourrait pas venir à la villa. Il l'avait fait savoir à Lucia. La jeune femme en fut presque soulagée. Ainsi elle pourrait réfléchir tout à loisir à l'ultimatum lancé par Nicolas.

Après le petit déjeuner, dans le secret le plus absolu, les enfants invitèrent Lucia à venir visiter une grotte qu'ils avaient découverte l'été précédent. Assise dans une chaise longue, sur la terrasse, Cathy les regarda s'éloigner en se faisant les ongles.

— Cathy et vous ne vous ressemblez pas du tout, fit Francesca, en route.

— Non... Nous sommes des demi-sœurs. Nous avons eu le même père, mais pas la même mère.

— Ah, je vois, se contenta de commenter l'enfant.

Mais plus tard, sur le chemin du retour, elle revint sur le sujet.

— Vos parents étaient-ils divorcés?

— Non, ma mère est morte à ma naissance.

Francesca s'arrêta pour ôter un caillou qui s'était infiltré dans sa sandalette.

— C'est dommage... Mais, dans un sens, c'est mieux qu'un divorce...

Lucia regarda l'enfant rattacher la boucle de sa chaussure.

— Tu connais quelqu'un dont les parents sont divorcés? demanda-t-elle d'un ton détaché.

— Oui... Ma meilleure amie, à l'école. Elle est interne et ne voit ses parents qu'une fois de temps en temps. L'été, elle passe une partie des vacances chez son père, et l'autre chez sa mère... Elle est très malheureuse. Quand elle va la voir, sa mère n'arrête pas de critiquer son père; et quand elle va chez son père, il fait exactement la même chose de son côté... Et si elle ne fait pas mine d'être d'accord avec eux, ils se fâchent aussi contre elle.

— Les choses ne se passent pas toujours de cette façon-là, poursuivit Lucia pour essayer de réconforter l'adolescente. Une fois divorcés, les gens restent parfois en bons termes... C'est d'ailleurs très fréquent. Seulement, ils divorcent parce qu'ils ne supportent plus la vie en commun.

— Mais pourquoi tout d'un coup veulent-ils se séparer, si les choses se sont toujours très bien passées pendant des années? insista Francesca dont les lèvres commençaient à trembler, pourquoi se mettent-ils soudain à se disputer?

— Nous nous disputons tous toujours un peu, répondit Lucia, embarrassée... Et puis nous disons des choses que nous ne pensons pas vraiment. Cela ne t'est jamais arrivé avec ton amie? Ou bien avec Stéphane?

— Si... Mais ce n'est pas pareil. Nous ne sommes pas des adultes.

— Etre adulte ne rend pas la vie plus facile, tu sais... Au contraire, d'ailleurs... rétorqua Lucia avec une pointe d'amertume dans la voix.

Avant qu'elle ait eu le temps de poursuivre, Ariane arriva en courant. Leur conversation s'arrêta donc là.

Après l'incident de la nuit précédente, un tête-à-tête

avec Nicolas n'enchantait guère Lucia. Cependant, elle fit un gros effort sur elle-même, et l'aborda après le déjeuner. Tout le monde était parti faire la sieste.

— Y a-t-il un endroit où je puisse vous parler personnellement et sans être dérangée? lui demanda-t-elle d'une voix crispée.

— « Sans être dérangée »? reprit-il... Eh bien, dans ce cas, nous pourrions aller à l'office.

Il passa devant elle pour lui indiquer le chemin.

— Dois-je fermer le verrou? demanda-t-il avec un sourire moqueur.

— C'est à propos de Francesca, coupa sèchement la jeune femme pour éviter tout malentendu.

— Vous me décevez! En général, quand une femme demande à être seule avec un homme, ce n'est pas pour parler d'une tierce personne... Bon, soyons sérieux, coupa-t-il en voyant Lucia rougir. De quoi s'agit-il?

La jeune femme lui rapporta la conversation qu'elle avait eue le matin même avec l'adolescente, les soupçons de cette dernière, la crainte qu'elle avait de se voir sans cesse partagée entre son père et sa mère.

— Je ne sais pas si elle a tort ou raison, mais le fait est qu'il est injuste de la laisser se poser des questions, conclut Lucia... A votre place, je téléphonerais aux parents pour les avertir et leur dire de prendre une décision.

— Je vais le faire sans tarder, proposa-t-il immédiatement... peut-être parviendrai-je à ramener Sophia à la raison. De toute façon, je vous remercie beaucoup, Lucia... Et je le fais d'autant plus sincèrement que je suis parfaitement conscient de l'effort que vous avez dû faire sur vous-même pour venir me parler.

Lucia fit mine de ne pas avoir entendu et sortit. A cet instant précis, Cathy refermait la porte de sa chambre. En voyant Nicolas et sa sœur sortir de l'office, elle fronça les sourcils. Il lui fit un léger signe de la tête, et s'éloigna.

— Qu'étiez-vous en train de faire, ici? demanda la jeune fille, une fois Nicolas parti.

Gênée, la jeune femme tarda à répondre.

— Nous parlions... fit-elle gauchement.

— De moi?... J'en étais sûre! ajouta-t-elle aussitôt, en voyant Lucia garder le silence. Que complotiez-vous, tous les deux? Réponds-moi!

— Mais, Cathy, je t'assure...

— Tu essaies de le monter contre moi, n'est-ce pas? Alors, tu lui racontes des histoires à mon sujet?

— Mais non! Ne sois pas idiote! s'exclama Lucia en refermant la porte de sa chambre où Cathy l'avait suivie.

— Je ne te crois pas! Tu complotes quelque chose... Je le vois bien, Nicolas n'est plus le même depuis que nous sommes arrivés!

— Différent? Que veux-tu dire?

Cathy garda un moment le silence, mais son regard étincelant en disait long. « Mêle-toi de tes affaires! » pensait-elle.

Mais on sentait, en même temps, qu'elle avait un terrible besoin de se confier. Elle essaya de lutter; mais en vain.

— Je... D'abord, j'ai cru que c'était à cause des gosses, mais il n'en était rien. Cela vient de Nico lui-même. La nuit dernière, nous étions seuls sur la terrasse... Il ne m'a même pas embrassée pour me souhaiter bonne nuit.

La jeune fille s'arrêta. Son visage s'était empourpré, et ses yeux étincelaient.

— Depuis notre arrivée, il ne m'a pas embrassée une seule fois!... Tu devrais être contente!

Ce dernier aveu lui coûtait terriblement. Il ne fut pas sans déplaire à Lucia. La veille au soir, en rentrant de l'hôtel, la jeune femme était allée directement se coucher. Cathy ne l'avait pas suivie. Dans son lit, en resongeant à la scène qu'ils avaient eue sur la plage, Lucia avait fulminé à l'idée qu'à cet instant précis,

Nicolas était en train de s'en donner à cœur joie avec Cathy.

— Mais pourquoi?... poursuivit la jeune fille, le regard sombre. Pourquoi? Que lui as-tu dit pour qu'il change à ce point?

— Rien, Cathy... Rien, soupira Lucia.

— Tu n'espères tout de même pas que je vais te croire! Depuis le début, tu es contre lui!

— Uniquement à cause de son âge... et puis... je croyais qu'il s'amusait avec toi... ajouta-t-elle en se rappelant certaines paroles de Nicolas.

« *La réputation de votre sœur sera dorénavant aussi sauve avec moi qu'elle pourrait l'être avec ce cher Bernard* » avait-il dit, un jour.

— Ses sentiments envers toi ont peut-être changé, poursuivit-elle.

Elle molissait.

— Il est plus Grec qu'Anglais, je te l'ai dit un jour... Les Grecs sont très entreprenants avec les étrangères. Mais quand il s'agit de mariage, ils sont beaucoup plus respectueux.

La première fois que Lucia avait fait allusion aux origines grecques de Nicolas, la jeune fille s'était moquée d'elle. Aujourd'hui, elle prit ce rappel au sérieux.

— Tu as changé d'avis, alors? Tu crois vraiment qu'il m'aime?

— On dirait.

— Mais tu n'approuves toujours pas, je suppose?

— Non en effet, puisque tu ne l'aimes pas.

Cathy haussa les épaules.

— Ça, c'est son problème, pas le tien.

La jeune femme eut un geste d'agacement. Autant s'adresser à un mur! Elle perdait son temps.

Je peux toujours traiter Cathy d'idiote! Je le suis deux fois plus qu'elle! Il n'y a pas de doute, je suis amoureuse de cet homme, songea-t-elle amèrement.

Il fallait bien se rendre à l'évidence. Le sentiment

qu'elle éprouvait à l'égard de Nicolas dépassait le stade du simple attrait physique. Pour la première fois, elle osait se l'avouer. Son cœur se mit à battre un peu plus vite. D'abord, elle ne s'en était pas aperçu. Ce sentiment était tellement différent de l'idée qu'elle s'en était faite. Mais il n'était pas réciproque. Au lieu de grandir de jour en jour dans une harmonie parfaite, il se nourrissait d'escarmouches quotidiennes et épuisantes la rendant de plus en plus vulnérable. Elle était à bout de ressources. Que supporterait-elle le moins? Ne plus jamais le revoir, ou bien l'avoir pour beau-frère?

Les soupçons de Cathy semblaient dissipés. A présent, elle trouvait l'hypothèse émise par sa sœur fort amusante. Lucia ne paraissait pas du même avis.

— Nico amoureux! Ce serait drôle! s'exclama la jeune fille en riant... Les hommes sont tout de même bizarres. Ils feraient la cour à la première fille venue, mais si leur femme a le malheur d'en regarder un autre, ils leur font tout un scandale. Je me demande si Nicolas serait jaloux?

— Je ne pense pas. Il a trop de fierté pour cela...

De toute façon, eut-elle envie d'ajouter, il ne viendrait jamais à l'idée de l'épouse de Nicolas de le tromper. Mais elle se retint.

— Je vais à la plage avec les enfants. Tu viens?

Cathy refusa. Le soleil lui donnait mal à la tête. Elle attendrait Nicolas.

Celui-ci revint à peine une heure plus tard. Lucia entendit le ronflement de la Land Rover.

Le soir même, ils allaient tous en ville. La jeune femme avait décidé de porter une robe bleu pastel. Elle était en train de se débattre avec la fermeture de celle-ci lorsqu'elle entendit frapper à sa porte.

— Entrez! fit-elle, croyant qu'il s'agissait de l'un des enfants.

Nicolas pénétra dans la pièce. Son premier regard fut pour l'autre porte. Elle était fermée; Lucia était seule.

Voyant la jeune femme tirer désespérément sur la fermeture éclair, il s'avança.

— Des problèmes? Laissez-moi vous aider, proposa-t-il.

— Non merci, ça va aller, répondit vivement Lucia en faisant volte-face.

— Mais non, vous allez tout casser... Allez, laissez-moi faire et retournez-vous. Ce ne sera pas la première fois que je verrai votre dos... Vous avez une tache de café sur l'épaule gauche, ajouta-t-il, avec une lueur amusée dans les yeux.

Lucia rougit. Elle avait tort d'être aussi émotive. Mais quand avait-il bien pu remarquer cette tache?

— Je venais vous dire que je n'ai pas pu joindre ma sœur, fit-il en s'avançant, mais j'ai laissé un message. Elle devrait être là dans vingt-quatre heures.

— Vous ne l'avez pas alarmée, j'espère? s'écria-t-elle en se mettant aussitôt à la place de la mère des enfants.

Nicolas lui prit les épaules et la fit pivoter. Puis, il commença à s'occuper de la fermeture.

— Non, non... Je l'ai mise brièvement au courant de la situation en la priant d'agir au plus vite. J'ai aussi parlé à Richard, à Londres, et je lui ai dit la même chose.

— Lui avez-vous annoncé la venue de Sophia? s'efforça-t-elle de demander du ton le plus assuré possible.

Mais elle sentait son corps trembler au contact des mains de Nicolas.

— J'ai raccroché quand il me l'a demandé... S'il veut le savoir, il contactera Sophia.

Cathy l'entendait-il parler? Et si elle faisait irruption dans la pièce?

— Laissez... Les dents doivent être cassées..., fit-elle aussitôt, je mettrai autre chose.

— Non... Elles sont prises dans un fil... Vous avez une paire de ciseaux?

Il y en avait une sur la coiffeuse. Lucia se pencha

pour l'attraper. A cet instant, ses yeux surprirent le visage de Nicolas reflété par le miroir. Leurs regards se croisèrent mais Lucia détourna aussitôt le sien.

Nicolas saisit la paire de ciseaux et se concentra de nouveau sur la fermeture éclair. Lucia ne put résister à la tentation de l'observer en secret. Dorénavant, elle devrait apprendre à résister à la tentation. Nicolas n'était pas idiot; il connaissait les femmes, et il aurait vite fait de percer le secret.

— Voilà... C'est terminé, fit-il enfin.

Lucia le remercia. Soudain, elle sursauta, et son visage bruni par le soleil s'empourpra. Avant de remonter totalement la fermeture éclair de sa robe, Nicolas s'était incliné et avait déposé un baiser sur sa nuque.

Si elle ne l'avait vu dans la glace, elle aurait cru à une illusion. Mais, elle ne s'était pas trompée.

Il affronta son regard outragé avec son plus large sourire.

— Désolé... Je n'ai pas pu m'en empêcher...

— Vous... Vous ne manquez pas de toupet! s'exclama-t-elle enfin, en essayant de garder son calme.

— Oui, je sais... admit-il avec un clin d'œil, mais comment aurais-je pu savoir que vous n'apprécieriez pas? Quand Yannis l'a fait, l'autre soir, vous n'avez rien dit.

Elle rougit à nouveau.

— Oui, mais avec Yannis c'est différent... Je l'aime beaucoup, lui..., ajouta-t-elle d'un air entendu.

Le regard de Nicolas se durcit. Elle regretta immédiatement de lui avoir parlé ainsi. Cependant, il poursuivit avec le même sourire.

— Vous me détestez donc toujours autant?

Elle hésita à répondre.

— Non... pas tout à fait...

Tout en s'avançant vers la porte, il acheva d'un ton moqueur :

— Dans ce cas, nous avons fait des progrès... Autrefois, vous n'émettiez aucune restriction...

Le soir, ils se rendirent tous en ville pour assister à la procession de l'*Epitaphios*. En tête du défilé se trouvaient les acolytes, jeunes garçons vêtus de toges pourpres. Certains portaient une gigantesque croix et avançaient péniblement; d'autres brandissaient de splendides étendards ornés de dorures. Puis venait le cercueil, symbole de la mort du Christ. Il était recouvert de roses, et des jeunes filles vêtues de blanc l'arrosaient de pétales de fleurs.

Ensuite, suivaient les prêtres richement parés, et les grands dignitaires de la région. La lueur des bougies donnaient à leurs visages une expression particulièrement livide. Tous semblaient véritablement revivre la Passion. Certains allaient même jusqu'à pleurer.

Au moment de rentrer, Cathy fut introuvable. Ils décidèrent de l'attendre dans la Land Rover. Ariane venait de s'endormir sur l'épaule de son oncle, lorsque la jeune fille réapparut à bout de souffle, une demi-heure plus tard. La foule l'avait séparée du groupe, et elle n'avait pas pu le rejoindre. Son retard ne semblait nullement la gêner; au contraire, elle paraissait tout excitée.

— Montez à l'arrière avec les enfants, fit Nicolas. Lucia va monter à l'avant pour prendre Ariane.

— Non, non. Je vais le faire, cela ne me gêne pas.

La réaction de la jeune fille surprit sa sœur qui commença de se poser des questions. Pourquoi Cathy était-elle soudain d'aussi bonne humeur? Sa brève disparition devait certainement y être pour quelque chose.

Le lendemain, la jeune fille était toujours aussi rayonnante; la curiosité de Lucia s'accrût, mais elle décida de ne pas poser de questions.

L'après-midi, ils redescendirent tous en ville. Mais cette fois, Cathy ne proposa pas de prendre Ariane sur ses genoux. Elle était tirée à quatre épingles et ne tenait pas à froisser sa robe.

En ville, l'atmosphère était totalement différente. Les jours de jeûne tiraient à leur fin, et les festivités allaient commencer. C'était l'allégresse générale. Déjà, dans l'église, on avait enlevé cercueil et couronnes, et on les avait remplacés par le myrte et le laurier traditionnels.

De nouveau, Cathy diparut à plusieurs reprises. Nicolas ne semblait pas s'en affoler. Peut-être préférait-elle se promener seule? Ou bien s'était-elle égarée comme la fois précédente? Lucia, elle, était inquiète. Cathy était si frivole... et si tentante dans sa petite robe rose... Ne risquait-elle pas d'être importunée? Les Grecs...

— ... Ont le sang chaud? suggéra Nicolas comprenant où la jeune femme voulait en venir... Ne vous inquiétez pas; ils sont trop fiers pour courir le risque d'être repoussés... Ils la siffleront au passage, ou bien essaieront de la prendre par le bras, tout au plus... Quel mal y a-t-il à cela?

— Mais cela ne vous dérange pas de savoir...

— Que pourrais-je y faire de toute façon? Si je partais, je vous laisserais seule.

— Mais moi, ce n'est pas grave... Je me débrouillerais très bien, coupa sèchement Lucia.

Nicolas n'écouta même pas la fin de la phrase. Il s'était dirigé vers un enfant qui vendait des bougies. Il en prit une pour Lucia et une pour lui.

A minuit, les cloches se mirent à sonner, et toute la foule s'écria : *Christos Anesti,* c'est-à-dire : le Christ est ressuscité. Quelques instants plus tard, un splendide feu d'artifice incendiait le ciel.

Nicolas alluma les bougies des enfants, la sienne, et celle de Lucia. Il la tendit ensuite à Lucia qui s'en servit pour allumer celle qu'elle tenait dans les mains.

— Si votre bougie ne s'éteint pas de la soirée, c'est signe de chance, expliqua Francesca.

— On dit aussi que si une femme allume sa bougie à la flamme de celle de son voisin, ils seront mariés l'année suivante.

— Ah oui? fit Lucia très tranquillement. Très intéressant...

Le regard de la jeune femme croisa un instant celui de Nicolas : une étrange lueur l'animait. Son cœur fit un bond dans sa poitrine.

Un peu plus tard, ils rencontrèrent des gamins qui s'amusaient avec des pétards. En voulant éviter l'un d'eux, Lucia perdit l'équilibre. Elle serait tombée si Nicolas n'avait été là pour la rattraper. Jusqu'à ce que le pétard se fût éteint, il la garda étroitement serrée contre lui.

— Ça ira? demanda-t-il en relâchant son étreinte.

Elle s'empressa d'acquiescer, et très vite, un peu trop vite peut-être, elle s'écarta. Une fois encore, il eut un petit sourire entendu.

Ariane arriva soudain en pleurant. Elle avait peur des pétards. Son oncle la hissa sur ses épaules.

Dans la cohue, Lucia avait perdu sa bougie. Stéphane s'élança pour la lui ramasser, mais elle était malheureusement tout écrasée.

Tout à coup, Cathy réapparut. Mais elle n'était pas seule. Un jeune homme blond l'accompagnait.

— Ah! Enfin! s'écria-t-elle l'air radieux, je vous ai cherchés partout... Je vous présente Grant Wallace... Grant, ma sœur Lucia... Nicolas Curzon... et les enfants.

Grant était Américain, cela crevait les yeux. Cathy l'avait sans aucun doute rencontré la veille au soir, et ils avaient projeté de se retrouver le lendemain.

Il faisait une croisière dans les îles de la mer Egée avec un groupe d'amis à bord du yacht de ses parents. Marina était leur dernière escale. Ensuite, ils repartiraient vers Athènes.

— Grant filmait le feu d'artifice, reprit Cathy. Je lui ai demandé s'il n'avait pas remarqué une Anglaise accompagnée de trois enfants. Alors, il m'a proposé de m'aider à vous retrouver... Je n'en menais pas large au milieu de toute cette pétarade.

Elle disait cela avec une naïveté si convaincante que

n'importe qui l'aurait crue. Mais devant l'air embarrassé de Grant, Lucia devina aussitôt que la jeune fille avait tout inventé. Nicolas ne semblait guère plus convaincu. Sentant l'atmosphère légèrement tendue, l'Américain prit bientôt congé.

— Nous restons ici encore quelques jours. Aurai-je le plaisir de vous revoir? demanda-t-il à la jeune fille en lui prenant la main.

Celle-ci se tourna alors vers Nicolas, espérant qu'il inviterait Grant. Mais il fit mine de ne pas comprendre.

Il y eut un silence gênant auquel Grant coupa court en s'écriant avec une bonhomie qui semblait habituelle :

— J'ai une idée! Pourquoi ne viendriez-vous pas tous déjeuner à bord du Cassandre, demain?

— Oh oui! Bonne idée! Ça nous ferait très plaisir, n'est-ce pas les enfants? fit aussitôt Cathy, se tournant vers Ariane, Francesca et Stéphane dans l'espoir de les entendre renchérir.

Ils n'eurent pas le temps de le faire.

— C'est très gentil à vous, Wallace; mais pas demain, je le crains. Le dimanche de Pâques est une fête familiale en Grèce. Ma vieille tante serait très mécontente si nous nous absentions... Elle est originaire du pays, expliqua Nicolas.

— Bien sûr... Alors, disons après-demain?

— Désolé, nous sommes pris, coupa sèchement Nicolas.

Grant sembla déçu.

— Nous nous reverrons peut-être à Athènes. Nous devons y aller la semaine prochaine, lança Cathy.

— Ah oui! C'est une idée! s'exclama le jeune homme dont le regard reprit vie tout d'un coup... Ecoutez, nous serons à l'hôtel Hilton; appelez-moi quand vous voulez!

— Nous n'y manquerons pas, fit Nicolas d'un ton cassant.

Grant fronça les sourcils. De façon évidente, il était absolument inconscient de marcher sur les plates-bandes de Nicolas. Il sourit à Cathy et s'éloigna après avoir fait un signe de tête aux autres.

Les enfants commençaient à tomber de sommeil. Il était temps de rentrer. Dès qu'ils furent arrivés, Nicolas demanda à Lucia de coucher les enfants pendant qu'il allait garer la voiture.

Francesca fut la seule à avoir ramené sa bougie allumée.

— Je ne sais pas si ça va me porter chance, fit-elle avant de se coucher... Ça m'étonnerait! Je ne crois plus à toutes ces vieilles superstitions!

Lucia devina ses pensées.

— On ne sait jamais... fit-elle en souriant, et puis, ça ne coûte rien d'y croire... Surtout quand elles sont de bon augure.

Une fois les filles couchées, Lucia alla voir Stéphane, dans la chambre de Nicolas. Il était déjà au lit, et feuilletait son livre de chevet. Lucia eut bien du mal à le lui faire poser.

— Nicolas sera fâché, s'il te trouve encore en train de lire à cette heure-là...

— Il l'est déjà, fâché, en ce moment... fit l'enfant en refermant son livre,... mais j' sais pas pourquoi... C'est p't-être à cause du gouvernement... ou de ses impôts. A Papa aussi, ça lui arrive. Un jour, il a même failli mettre du sel à la place du sucre dans son thé... Heureusement, Maman l'a arrêté à temps!

Lucia éclata de rire. Elle donna à l'enfant une tape affectueuse sur l'épaule, lui souhaita bonne nuit et enfin quitta la pièce après avoir éteint la lumière.

Elle trouva Cathy dans le salon, un verre d'*Ouzo* à la main.

— Je sens que je vais avoir droit à ma petite leçon de morale habituelle, commença la jeune fille, d'un ton provocateur.

— Je serais effectivement curieuse de savoir ce que tu fabriques en ce moment, fit Lucia en s'asseyant.

— J'ai voulu voir comment Nico pourrait réagir face

à un rival éventuel, répondit tranquillement Cathy, soudain très intéressée par son vernis à ongles nacré.

— Tu as voulu le rendre jaloux?

— C'est à peu près ça... Tu n'apprécies pas, je suppose?

— Je ne vois surtout pas pourquoi tu avais besoin de raconter des histoires!... Oh non, Cathy... pas à moi! ajouta la jeune femme en voyant sa sœur ouvrir de grands yeux indignés. Ce n'est pas ce soir, mais hier soir que tu as rencontré Grant Wallace; et vous aviez prévu de vous retrouver aujourd'hui. En fait, hier, tu nous as bel et bien faussé compagnie!

— Eh bien oui, admit la jeune fille à regret... Et alors! Je voulais attendre pour vous le présenter.

Elle eut un petit sourire satisfait, et dégusta une gorgée d'*Ouzo*.

— Ça n'a pas mal marché, finalement. Nicolas a fait mine de s'en moquer, mais en réalité, il était mort de jalousie. Je l'ai bien vu à sa façon de refuser toutes les invitations de Grant.

— Il ne me viendrait pas à l'idée de me comporter ainsi avec un homme que j'ai l'intention d'épouser.

— Ma pauvre chérie, tu as encore beaucoup à apprendre des hommes! s'esclaffa Cathy d'un ton paternaliste... Rien de tel qu'un bon rival pour raviver la passion d'un homme. Ah j'entends des pas. Je te laisse.

— Pourquoi n'attends-tu pas Nicolas? Tu as peur de lui?

La jeune fille prit soudain le ton de la confidence.

— Mais non! Tu n'as rien compris! En le laissant se morfondre, ce soir, il sera à point demain matin...

Lucia resta seule dans le salon. Bientôt, Nicolas entra. Il ne semblait nullement « se morfondre »...

— Vous n'avez pas l'air fatiguée... Vous venez avec moi? Je vais me baigner. L'eau est délicieuse à cette heure-ci.

— Non merci, je ferais mieux d'aller me coucher.

— Pourquoi? Auriez-vous peur de vous retrouver seule avec moi?

— Non, bien sûr, s'empressa de répondre Lucia.

— Vous m'avez répondu beaucoup trop vite pour me convaincre, jolie Lucia! A l'avenir, soyez moins rapide. Vous paraîtrez plus sincère!

Un léger sourire flottait sur ses lèvres. Alors, Lucia sentit un torrent de colère l'envahir.

— Oh! J'en ai assez de vous et de Cathy! Laissez-moi tranquille! Vous prenez les gens pour des marionnettes!... Que voulez-vous que je vous réponde? Oui, j'ai peur de vous?... Eh bien voilà, soyez content. Je l'ai dit...

Il y eut un silence interminable.

— Vous le pensez vraiment? De quoi avez-vous peur?

— Je... Je ne sais pas, répondit-elle, les lèvres sèches.

— Oh si, vous le savez! Soyez honnête... Vous avez peur que j'essaie de vous embrasser. Et surtout, vous avez peur d'aimer ça et de vous laisser aller!... de laisser paraître la vraie Lucia Gresham : celle qui se cache derrière la jeune fille rigide que vous prétendez être!

Lucia était hors d'elle.

— De quel droit vous permettez-vous de me dire de telles choses?

— Ecoutez-moi! J'en ai assez de vos manières de mijaurée! Je pensais vraiment que cela vous ferait plaisir de venir vous baigner avec moi!... Et vous en aviez envie aussi, mais vous n'avez pas voulu courir le risque... Pourquoi vous méfiez-vous de moi à ce point?

Il s'était approché, les poings serrés dans ses poches. Lucia fit un gros effort pour ne pas reculer. Il s'arrêta à un mètre. Elle soutint son regard.

— Vous en avez profité à chaque fois que nous avons été seuls! Hier, dans ma chambre, en m'embrassant dans le cou... Ce soir, dans la rue, en me serrant plus fort que ce n'était nécessaire...

— Alors, si je comprends bien, vous faites seulement

confiance aux hommes qui ne vous regardent pas!
Yannis doit être sur votre liste noire par conséquent?

— Avec Yannis, c'est différent... Il est... libre.

— Parce que je ne le suis pas? rétorqua-t-il sèchement, en fronçant les sourcils.

— Je... Je croyais...

— Oui? Que croyiez-vous? reprit-il. Je suis libre,
Lucia.

Elle n'eut pas le temps de répondre. Des hurlements
résonnèrent dans la nuit.

6

Le bruit venait de la chambre des filles. Les deux jeunes gens s'y précipitèrent. C'était Ariane. L'enfant était assise dans son lit, les draps tachés par de gros renvois. Elle appelait sa mère.

— Oh, mon chou! Quel gâchis! s'écria Nicolas. Ne pleure pas... Ce n'est pas de ta faute...

Il avait relevé ses manches de chemise.

— Laissez! Je vais m'en occuper, j'ai l'habitude.

— Attention! coupa-t-il soudain, elle recommence! Heureusement, il eut la présence d'esprit d'attraper un sac en plastique et de le précipiter sous le menton de l'enfant.

— Qu'y a-t-il? Que se passe-t-il? grommela Francesca que le bruit avait réveillée.

— Ariane est malade, expliqua Nicolas.

— Quelle casse-pieds! gronda l'adolescente absolument désintéressée par la santé de sa sœur.

Malgré l'offre de Lucia, Nicolas n'était pas resté inactif. Avec l'efficacité d'une nurse, il avait déshabillé l'enfant et lui avait enfilé un pyjama propre. Puis, il demanda à la jeune femme de prendre Ariane sur ses genoux, et changea les draps. Entre-temps, l'enfant s'était endormie. Par mesure de sécurité, il préférait la coucher dans le lit de Stéphane pour cette nuit.

Il transporta immédiatement la fillette dans le lit de son frère.

— Même un tremblement de terre ne le réveillerait pas, glissa Nicolas à la jeune femme, en refermant délicatement la porte de la chambre... Maintenant, je prendrais bien un café, pas vous? proposa-t-il.

Elle acquiesça et le suivit dans la cuisine.

— Qu'avez-vous fait des draps?

— Je les ai mis à tremper. On les lavera demain.

La jeune femme s'assit et le regarda préparer le café. Une demi-heure à peine s'était écoulée depuis leur conversation dans l'autre pièce.

— Vous êtes un homme étrange, Nicolas, ne put-elle s'empêcher de dire.

Il se retourna légèrement et la regarda par-dessus son épaule.

— Pourquoi? Parce que j'ai su m'occuper d'un enfant malade? Il n'y a rien d'étrange à cela... Vous cataloguez trop vite les gens, personne n'est fait d'une seule pièce.

— En tous les cas, pas vous... Vous êtes vraiment déconcertant...

Le café était prêt. Il l'apporta sur la table avec une miche de pain et du fromage. Lucia s'en fit une tartine. Qu'avait-il voulu dire, tout à l'heure, en se qualifiant de « libre »? Elle brûlait d'envie de lui poser la question; mais elle n'osait le faire de but en blanc.

Il était presque trois heures du matin. Lucia commençait à sentir ses membres s'engourdir.

— Un verre de Xérès vous ferait du bien, et vous aiderait à oublier ce qui vient de se passer, fit Nicolas, en voyant la jeune femme frissonner.

A quoi faisait-il allusion? Aux indispositions d'Ariane, ou à la scène qui les avait précédées?

— Non merci. Le café suffira...

Il ne l'écouta pas. Il se dirigea vers le bar et en sortit deux verres et une bouteille de Xérès.

— Vous avez de la chance de ne pas être grecque... Si vous l'étiez, votre réputation serait faite. Il est plus de minuit, et vous prenez un verre avec un homme, expliqua-t-il avec un petit sourire ironique... Il ne vous resterait plus qu'une solution pour vous en tirer : m'épouser...

Lucia sentit son cœur faire un bond.

— Heureusement, vous parlez au conditionnel, se contenta-t-elle de répondre avant d'avaler une gorgée.

Le regard sombre et impénétrable de Nicolas la fixa intensément.

— Ce serait donc si terrible?

— Oh, fit-elle en évitant toute réponse compromettante, un mariage forcé n'est jamais agréable pour personne.

— Vous n'avez pas répondu à ma question.

Les mains de Lucia commencèrent à trembler. Elle les ôta vivement de ses genoux.

— Je... Je n'épouserais pas un homme que je n'aimerais pas, maintint-elle, mais d'une voix altérée, cette fois... Si cela ne vous fait rien, je préférerais aller terminer mon café dans ma chambre.

Elle s'était levée et avait pris la tasse et sa soucoupe. Elle s'avança vers la porte avec un léger bruit de vaisselle.

— Bonne nuit, et merci, fit-elle, fuyant le regard de Nicolas.

— Bonne nuit, Lucia, se contenta-t-il de répondre, non sans une certaine pointe d'ironie moqueuse dans la voix.

Le lundi de Pâques, Nicolas reçut un télégramme. Les parents des enfants arriveraient le lendemain.

Kyria Katina était inquiète. Où coucherait-elle tous ses invités? Nicolas prit rapidement une décision. Ils passeraient les derniers jours de vacances à Athènes. Mardi, il partirait avec les jeunes femmes et ils coucheraient tous trois à l'hôtel.

Le mardi matin était prévu un pique-nique, dans une petite île voisine. Ils seraient de retour pour l'arrivée de Sophia et de Richard.

Au moment de partir, Cathy fut prise d'une violente migraine, mais insista pour que le pique-nique ait lieu sans elle : les enfants ne devaient pas être déçus. Lucia offrit de lui tenir compagnie; mais encore une fois, la jeune fille s'y opposa fermement. Elle devait profiter de ses dernières heures de vacances.

La mer était parfaitement calme. La traversée d'une île à l'autre prit à peine dix minutes. Les enfants aidèrent à tirer la petite barque rouge et bleue sur la plage, et s'éclipsèrent aussitôt pour faire leur traditionnelle chasse au trésor.

— Moi, je vais piquer une tête, fit Nicolas, après avoir posé à terre les deux paniers de victuailles préparés par Kyria Katina.

Après une hésitation, Lucia décida d'en faire autant. Mais le temps de se déshabiller, il avait déjà disparu de l'autre côté de l'île. Quand il revint, elle était sèche et avait eu le temps de se changer. Il ramassa sa serviette, essuya ses membres ruisselants d'eau et de soleil, et disparut à nouveau, après avoir rappelé à la jeune femme qu'elle n'hésite pas à se servir dans le panier si elle avait soif.

Il réapparut seulement à l'heure du déjeuner, accompagné des enfants. Ils se jetèrent sur les *dolmathes*, petites boules enrobées de feuilles de vigne, comme s'ils n'avaient pas mangé depuis des semaines. Le reste du panier disparut en un clin d'œil. Nicolas riait. Lucia souriait. L'instant était privilégié : l'harmonie la plus parfaite semblait régner entre eux. Cet agréable moment dura jusqu'à la sieste.

Mais les enfants ne purent rester longtemps en place. Au bout d'une demi-heure, ils étaient repartis jouer aux Robinsons.

Etendue sur le sable, Lucia tourna la tête du côté de Nicolas. Un bras sur les yeux pour se protéger du soleil, et l'autre mollement allongé sur le sable, il paraissait endormi.

Elle le regardait ainsi depuis plusieurs minutes

lorsque soudain, le bras toujours dans la même position, il proposa d'une voix parfaitement éveillée :

— Vous aimeriez aller visiter les ruines du temple?

Il se leva et s'étira.

— Elles sont en haut de la colline... Oh, il n'y a pas grand-chose à voir, remarquez... Si vous préférez vous dorer au soleil, ne vous forcez pas.

— Et vous? Que préférez-vous?

— C'est notre dernier jour, nous pourrions peut-être en profiter, répondit-il indirectement. Alors, allons-y, fit-il en prenant la main de la jeune femme pour l'aider à se lever.

« Notre dernier jour »... Lucia sentit son cœur se serrer. Un sentiment de panique incontrôlé s'empara d'elle. Elle aurait voulu arrêter le temps... De nouveau, ce serait bientôt Londres... et la solitude pour elle.

Elle était tombée amoureuse de lui sans le vouloir et elle n'en avait tiré aucune joie, aucun plaisir. Quel mal y avait-il à ce que pendant un après-midi, un seul, elle oublia Cathy, le passé et l'avenir?

La pente était raide. Lucia arriva en haut de la colline à bout de souffle, mais satisfaite de son effort. La vue était splendide. A sa droite, en bas, s'étendait la mer à perte de vue. A gauche se dressaient encore avec fierté les vestiges d'un temple dédié à Apollon.

Nicolas l'emmena s'asseoir un peu plus loin, à l'ombre de cyprès.

— Et les enfants? s'inquiéta-t-elle... Il n'est pas très prudent de les laisser seuls.

— Regardez! Ils sont là-bas, fit-il en pointant du doigt la petite crique où ils s'étaient installés.

Il y eut un silence.

— Tout se passera bien, j'espère, fit-elle enfin.

— Entre ma sœur et Richard? Nous verrons... En attendant, le fait qu'ils arrivent ensemble est de bon augure. Richard a dû faire le premier pas, je suppose : il est passé prendre Sophia à Paris.

— Certainement, acheva la jeune femme visiblement absente.

Elle observait un groupe d'abeilles butinant de fleur en fleur, et dont le bourdonnement incessant venait seul rompre le silence. Les voix des enfants. un peu plus bas, étaient inaudibles.

Nicolas s'était allongé et avait replié l'un de ses bras sous sa tête.

— Le vent a changé depuis ce matin, fit-il paresseusement, j'espère que ce n'est pas mauvais signe.

— Vous croyez? demanda Lucia en regardant le ciel, il n'y a pas un nuage.

Il ne répondit pas. Au bout d'un instant, la jeune femme s'allongea aussi dans l'herbe et s'abandonna à la douceur de l'air.

Soudain, la main de Nicolas rencontra la sienne. Un hasard, sans doute... Mais la main ne bougeait plus. Le hasard n'y était pour rien! Qu'allait-il se passer?

Les minutes s'écoulèrent sans qu'il ne fût prononcé une parole. Peut-être attendait-il de voir comment elle réagirait... Comment elle aurait dû réagir, tout au moins! Mais il était trop tard. La première frayeur passée, elle avait oublié comment elle aurait dû réagir! C'était de la folie, elle le savait; mais elle voulait qu'il gardât sa main dans la sienne! Et s'il avait voulu l'embrasser, elle l'aurait voulu aussi!...

Pour la première fois de sa vie, elle se moquait de savoir si c'était bien ou mal! Elle l'aimait. Cela seul comptait. Une fois, une seule, elle voulait connaître l'amour!

— Lucia.

Elle le sentit bouger. Elle ouvrit les yeux; il s'était penché vers elle, et sa tête lui cachait le ciel.

— Oui, murmura-t-elle, le cœur battant.

Mais alors, à l'instant précis où les lèvres de l'homme allaient toucher les siennes, elle prit soudain conscience de l'ampleur de sa propre faiblesse, et en ressentit un dégoût infini. Etait-elle devenue folle? Comment osait-

114

elle s'abandonner à l'homme qui appartenait déjà à sa sœur? Comment pouvait-elle accepter de compter au nombre de ses conquêtes?

— Non! s'écria-t-elle soudain, en détournant la tête au dernier instant, je vous en prie... laissez-moi.

Elle le repoussa violemment et s'enfuit en courant. Elle n'alla pas bien loin. Il lui attrapa le bras et la maintint fermement par les poignets. Elle en grimaça de douleur.

C'était un cauchemar à présent. Dans les yeux de Nicolas, elle ne lisait plus que l'expression d'une rage folle et incontrôlée. Jamais elle n'aurait dû accepter de le laisser approcher si dangereusement! Il était capable de tout, maintenant. Ses poignets la faisaient souffrir. Terriblement. Elle l'implora du regard, mais il ne broncha pas.

— Vous auriez dû vous rappeler Pandora, chérie. On lui avait dit de ne pas ouvrir la boîte, mais elle n'a pas pu résister. Elle voulait savoir... Tout comme *vous* vouliez savoir... fit-il d'un ton méchant.

Il libéra les poignets de la jeune femme, mais uniquement pour l'attirer violemment contre lui. Puis, prenant bien son temps, il l'embrassa.

— A présent, vous savez.

Alors seulement, il la lâcha et redescendit vers la crique.

Une heure plus tard, Lucia se décida à en faire autant. Elle aurait tout donné pour ne pas avoir à affronter Nicolas. Mais rien à faire; il le faudrait tôt ou tard! Alors, autant ne pas reculer... Elle accepterait tout, même l'humiliation s'il le fallait. Elle n'avait rien à lui reprocher. Tout était de sa faute. Elle récoltait le fruit de ce qu'elle avait semé. On ne pouvait reprocher à un tigre d'agir en tigre!

Lorsqu'elle arriva, il était en train de charger la barque avec les enfants. Il lui jeta un bref coup d'œil. Elle rougit.

Le vent s'était levé; des nuages s'amoncelaient à l'horizon; le temps allait changer.

A Marina, Kyria Katina les attendait sur la terrasse. Elle accueillit Nicolas avec un torrent de mots que Lucia ne comprit pas. Il sembla la rassurer en lui tapant gentiment sur l'épaule. Puis, il fit signe aux enfants d'aller se changer; leurs parents allaient bientôt arriver. Ensuite, il s'adressa à Lucia.

— La migraine de Cathy ne devait pas être bien sérieuse... elle a quitté la maison juste après notre départ. Elle n'est pas encore rentrée... Il n'y a pas de quoi s'inquiéter, poursuivit-il en voyant l'expression alarmée du visage de Lucia. Elle a dû descendre en ville, je suppose. Mais elle aurait pu prévenir Kyria Katina. La pauvre femme s'est inquiétée toute la journée. Elle craignait qu'il ne lui soit arrivé un accident.

— Elle a peut-être raison. Cathy a horreur de la marche. Elle ne serait jamais rentrée à pieds... Et puis, qu'aurait-elle fait en ville? Il n'y a aucune boutique.

Nicolas haussa les épaules d'un air agacé.

— ... Oui, mais il y a le Cassandre... et ce charmant Américain !

Lucia avait totalement oublié Grant Wallace.

— De toute façon, ne vous inquiétez pas et allez préparer vos bagages. Nous partons dans vingt minutes.

Lucia avait presque entièrement rangé ses propres affaires, la veille. Elle en profita donc pour s'occuper de celles de Cathy qui traînaient encore un peu partout dans la chambre. Après une dernière vérification, elle descendit prendre congé de Kyria Katina.

— Voudriez-vous dire à votre tante que j'ai passé un excellent séjour, demanda-t-elle à Nicolas.

Il lui lança un regard sardonique, mais traduisit. La vieille dame prit Lucia dans ses bras, et l'embrassa avec une affection évidente. Puis, elle s'adressa à Nicolas.

— Ma tante vous aime beaucoup, et espère avoir le plaisir de vous revoir très bientôt, traduisit-il.

Une lueur amusée traversa son regard. Lucia rougit.

Impatients d'aller accueillir leurs parents à l'embarcadère, les enfants vinrent couper court à la conversation.

Au port, la navette n'était pas encore là. Stéphane et ses sœurs partirent s'acheter des bonbons. Lucia et Nicolas allèrent s'asseoir à la terrasse d'un *kafenion*. Les gens se levaient de leur sieste. Un garçon à l'air à moitié endormi vint essuyer leur table.

— Nous devrions peut-être chercher le Cassandre, et voir si Cathy est bien à bord, s'enquérit Lucia toujours inquiète.

— Voici justement un membre de son équipage, fit Nicolas, en voyant un dinghy se rapprocher du ponton. Il devrait bien le savoir.

Comment pouvait-il être aussi calme, se demanda la jeune femme. Plus de deux heures s'étaient écoulées depuis l'incident du temple, et pourtant la caresse du baiser de Nicolas lui brûlait encore les lèvres. Il ne pouvait pas avoir déjà oublié! Ni même, n'en ressentir aucune vexation! Et pourtant...

Bientôt, l'homme enjamba le quai. Il semblait revenir des courses.

Nicolas se dirigea vers lui, et lui parla en grec. Aux gestes qu'il fit, Lucia comprit aussitôt que Cathy était effectivement à bord.

Soudain, la navette se présenta à l'entrée du port. En quelques minutes, l'embarcadère était devenu une véritable fourmilière.

— Les voilà! C'est maman! criait Ariane en gambadant de tous les côtés.

Enfin, le bateau stoppa ses machines, et les passagers descendirent. Puis se furent les embrassades des retrouvailles. Ne se sentant pas à sa place dans cette touchante scène de famille, Lucia resta légèrement en arrière. Ce fut Francesca, et non Nicolas, qui s'en aperçut. Elle appela la jeune femme et la présenta à ses parents.

— Enchantée, Lucia. Vos vacances n'ont pas dû être de tout repos avec ces endiablés, commença Sophia en tendant la main.

Nicolas avait raison. On ne l'aurait jamais crue Grecque. Sa chevelure était brune, certes, mais ses yeux étaient d'un bleu très clair. Son élégance parfaite en faisait une femme très séduisante.

— Votre sœur n'est pas là? poursuivit-elle.

— Vous verrez Cathy plus tard, coupa Nicolas.

Lucia serra ensuite la main du beau-frère, et tout le monde monta en voiture en direction de l'hôtel Marina.

La jeune femme n'avait pas vu Yannis depuis plusieurs jours. Il déploya à son égard la même affabilité. Mais cette fois, n'ayant plus le cœur à plaisanter, elle le trouva plutôt assommant et fut soulagée de le voir disparaître rapidement.

Les enfants étaient partis se baigner avec leur père, Sophia était montée se changer, et Nicolas semblait avoir déserté les lieux, de sorte que la jeune femme se retrouva seule sur la terrasse. Elle profita de ce moment d'accalmie pour souffler un peu.

Mais la trêve fut de courte durée. Elle surprit une conversation qui vint à nouveau réveiller de vieilles contrariétés.

— Alors, disait Sophia, tu as enfin trouvé la femme de tes rêves? Tu es bien sûr de ne pas te tromper, Nico? Tout cela me semble si précipité... Tu veux vraiment l'épouser?

Il y eut un silence qui parut un siècle à Lucia.

— Oh oui. Je l'ai su dès notre deuxième rencontre, répondit Nicolas, laissant pour une fois de côté son habituelle ironie. J'ai eu deux mois pour y réfléchir, à mon âge, c'est largement suffisant, il me semble!

— Alors pourquoi n'êtes-vous pas déjà fiancés? D'habitude, lorsque tu as quelque chose dans la tête, tu vas beaucoup plus vite en besogne!

Lucia prit soudain conscience d'écouter aux portes. Mais il était trop tard pour s'éclipser. Seule, une baie vitrée la séparait du frère et de la sœur. Ceux-ci l'auraient inévitablement vue passer. Il ne restait donc plus qu'à attendre.

— Nos relations n'ont pas évolué dans le sens où je l'espérais, répondit Nicolas... Et ce séjour à Marina s'est finalement retourné contre moi.

— Je pourrais essayer de lui parler, si tu veux..., proposa Sophia.

— Oh non! Je t'en prie... La situation est suffisamment complexe comme cela!... Eh oui, poursuivit-il, apparemment en guise d'explications. La sœur vient tout gâcher...

Un violent coup de tonnerre vint soudain masquer la voix de Nicolas, et mettre fin au supplice de Lucia. Le ciel s'était obscurci, et aux premières gouttes de pluie, les enfants et leur père remontèrent en courant pour s'abriter. Lucia profita de la précipitation pour monter discrètement à sa chambre. Elle était allongée sur le lit lorsque Cathy entra.

— C'est moi! s'exclama la jeune fille, d'un air radieux, devine où j'étais...

— Inutile de me le dire; j'ai déjà deviné!...

Devant l'air déconfit de sa sœur, Lucia donna des explications.

— Si tu savais comme je me suis amusée! reprit la jeune fille. Le yacht est magnifique, et Grant est un amour! Je lui ai raconté notre horrible traversée à bord de ce vieux rafiot, à l'aller! Il m'a immédiatement proposé de nous ramener avec le Cassandre. C'est gentil, non? Il nous attend à bord, à dix heures.

— Tu aurais pu demander à Nicolas s'il était d'accord. Il est notre hôte, non?

— Oh, je t'en prie, ne sois pas si stupide! Pars avec la navette si tu veux, mais moi, je n'irai pas. Je n'ai pas envie d'être malade une deuxième fois!... Et puis, tous ces paysans... avec leurs poules, leurs chèvres... leur odeur me dégoûte! Je le dirai à Nicolas, et s'il n'est pas content, eh bien tant pis!...

Vers huit heures et demie, la jeune fille revint dans la chambre. Nicolas n'avait fait aucune objection à leur départ à bord du Cassandre, annonça-t-elle à sa sœur.

La pluie s'était miraculeusement arrêtée après le dîner. Nicolas suggéra à Sophia d'en profiter pour rentrer à la villa.

Au moment de se quitter, Lucia nota une certaine réserve chez la jeune femme.

— Je suis celle « qui gâche tout », c'est vrai! songea-t-elle amèrement.

Les autres partis, Yannis lui proposa d'aller danser; mais elle prétexta la fatigue et s'éclipsa dans sa chambre.

Durant la nuit, un violent orage éclata. Lucia ne pouvait dormir. Elle resta un long moment à regarder la mer en furie s'écraser contre les rochers, à la lueur des éclairs. Les orages avaient toujours exercé sur elle une sorte d'envoûtement magique. Par contre, Cathy était morte de peur. Au beau milieu de la nuit, elle fit irruption dans la chambre de Lucia, demandant à y rester jusqu'au lendemain matin.

L'orage dura environ une heure. Lorsqu'il cessa, Cathy était endormie.

On avait donné aux deux jeunes femmes des chambres communicantes. Il était donc inutile de réveiller Cathy. Lucia irait passer le restant de la nuit dans la pièce voisine. Avant d'éteindre la lumière, elle souleva légèrement les draps.

Avec sa chevelure d'ange, ses traits d'une infinie douceur et sa bouche à peine entrouverte, Cathy était vraiment ravissante.

« Je l'ai su dès notre deuxième rencontre » avait dit Nicolas.

On comprenait aisément pourquoi. Ses raisons étaient les mêmes que celles qui avaient poussé Malcom Gresham à épouser Connie.

Janet avait eu raison. Interférer dans les affaires d'autrui ne servait à rien. Rien de tout cela ne serait arrivé si elle avait su se tenir à l'écart. Quand comprendrait-elle que c'était elle, et non Cathy, qui avait tiré le mauvais numéro?

Le lendemain matin, le soleil brillait à nouveau. Yannis les accompagna jusqu'au ponton. Le dinghy qui devait les emmener au Cassandre était déjà là.

— Je suis désolé de ne pas pouvoir venir... Au revoir, belle Lucia.

Une dernière fois, il enveloppa la jeune femme de son regard sombre, inclina sa jolie tête brune, et l'embrassa.

Cathy était resplendissante. Grant voyageait avec ses parents, sa sœur, le mari de cette dernière et un couple d'amis.

M. Wallace père dirigeait une importante firme de textiles. Il sortait d'une grave maladie, et sur les conseils de son médecin, avait décidé de faire une longue croisière, dont Marina était l'une des prestigieuses escales. Ses deux autres fils étant chacun vice-président de la firme, il était parti en toute quiétude.

Lucia apprit tout cela de la bouche même de Mme Wallace, une petite femme rondelette et dynamique.

Au salon, la jeune femme fut littéralement agressée par les trois Américaines. Grant monopolisa Cathy, et Nicolas discuta avec M. Wallace, son gendre, et leur ami.

Pendant le repas, le bateau se mit à tanguer. Peu à peu, les convives s'éclipsèrent en s'excusant, si bien qu'à la fin du repas, Nicolas et Lucia se retrouvèrent seuls à table. Avec la permission de celle-ci, il alluma une cigarette.

— Allons dans le grand salon, proposa-t-il... A moins que vous préfériez aussi vous retirer. Cela ne va pas aller en s'arrangeant, je crois.

Mais Lucia se sentait parfaitement bien. Ils se dirigèrent donc vers une pièce plus grande.

— Nicolas, commença la jeune femme après s'être assise, si cela ne vous fait rien, j'aimerais rentrer à la maison ce soir... Cathy resterait jusqu'à dimanche, bien sûr; mais j'ai personnellement beaucoup de choses à préparer, et je ne voudrais pas avoir à le faire au dernier moment.

Pour la première fois depuis qu'ils se connaissaient, Lucia s'aperçut qu'elle l'avait ébranlé. Il la regarda longuement avant de lui répondre :

— Et cela ne vous gêne pas de laisser Cathy seule avec moi?

— Non, si elle couche chez votre cousine...

— Mais ma cousine vous attend toutes les deux.

— Je pense qu'elle comprendra tout à fait si vous lui expliquez la situation.

Nicolas tira plusieurs fois sur sa cigarette, et laissa errer son regard par-delà les hublots. Que pensait-il? Il aurait dû être content!... Mais rien; il ne disait rien. Enfin, il se décida :

— C'est à cause de ce qui s'est passé hier, n'est-ce pas?

Lucia commit une erreur : elle fit mine d'avoir oublié.

— Hier?

Il déposa la cendre de sa cigarette dans un cendrier, puis regarda la jeune femme droit dans les yeux.

— Ne me dites pas que vous ne vous en souvenez pas!

— Ce serait pourtant préférable, fit-elle, en relevant le menton.

— Ne jouez pas non plus aux vierges outragées, cela ne changera rien, fit-il calmement.

Le visage de Lucia s'empourpra, mais elle parvint à se maîtriser.

— Je ne joue aucun jeu! Vous n'êtes pas le premier à m'avoir embrassée. Il me semblait simplement que ni l'un ni l'autre ne se souvenait de ce qui s'était passé hier. Je crois savoir pourquoi vous avez agi de la sorte, mais ce n'est...

Seconde erreur. Nicolas l'interrompit aussitôt.

— Ah oui? Vous savez? Eh bien, à votre avis, pourquoi vous ai-je embrassée?

— C'est du passé. N'en reparlons plus, je vous prie, répondit-elle sèchement.

— Je veux une réponse.

Lucia regretta de ne pas avoir tourné sept fois sa langue dans sa bouche avant de parler.

— Eh bien... Je suppose que vous l'avez fait pour les mêmes raisons que vous n'avez cessé de vous moquer de moi, pendant tout mon séjour... Vous n'êtes pas habitué à ce qu'une femme vous résiste... C'était une sorte de pari avec vous-même.

La réaction obtenue ne fut pas du tout celle que Lucia avait escomptée.

— Mon Dieu! Vous me croyez si bête que ça?... Je ne souffre pas d'un complexe d'infériorité, certes; mais de là à me croire irrésistible...

Il la regardait avec une lueur d'amusement dans les yeux. Lucia se tut. Il reprit :

— Pourquoi voulez-vous à tout prix que je me prenne pour un Don Juan?... Vous m'avez mal jugé... Dès le début, dès le jour où vous m'avez trouvé dans votre salon avec Cathy. Je ne la connaissais pas depuis longtemps, je l'admets; mais c'était vraiment inutile d'en faire toute une histoire.

— Hier non plus, « c'était vraiment inutile d'en faire toute une histoire », je suppose?

Le regard de Nicolas changea.

— Non... Hier, j'ai commis une erreur, répondit-il, en baissant la voix... Je ne regrette qu'une chose : je n'aurais pas dû vous faire mal, poursuivit-il en prenant les poignets encore rouges de Lucia,... mais le reste n'était pas entièrement de ma faute... Vous m'y aviez encouragé...

— Oh! s'écria Lucia en se levant d'un bond, l'air outragé.

Même si c'était vrai — et à son grand désespoir, ça l'était — il aurait pu avoir la décence de ne pas le dire.

Nicolas aussi s'était levé. Il semblait regretter ses paroles.

— Ne prenez pas la mouche... Écoutez-moi... Je suis désolé si...

L'entrée du steward dans le salon le força à se taire. Le temps d'informer celui-ci qu'ils n'avaient besoin de rien, Lucia s'était éclipsée et était partie à la recherche de sa sœur.

Elle la trouva allongée dans sa cabine, l'air pâlot, les lèvres légèrement blanches.

— Je viens de prendre des comprimés. Ils commencent seulement à faire effet. Je ne me sentais vraiment pas bien tout à l'heure... Où est Grant? Il est resté dans le salon avec vous?

— Non, tout le monde est retourné peu à peu dans sa cabine, sauf Nicolas et moi.

Lucia ouvrit les rideaux.

— ... Le temps va s'arranger, je crois. La mer n'est plus aussi houleuse que pendant le repas.

Une demi-heure plus tard, c'était à nouveau le calme plat. Cathy se risqua même à poser le pied par terre. Mme Wallace fit une brève irruption dans la cabine.

— Un mauvais moment à passer, hein? fit-elle, en passant la tête dans l'encoignure de la porte... C'est terrible, je ne m'y ferai jamais... Bon, je vous laisse. Je vais voir où en est Maisy.

— Elle est gentille, non? fit Cathy aussitôt que Mme Wallace eût disparu. Elle doit approcher la cinquantaine, mais elle ne les fait pas du tout. En général, les Américaines sont mieux conservées que les Anglaises. Et puis, elles ont beaucoup plus de goût pour s'habiller. Je l'ai souvent remarqué à Maybury.

— Parce que les Américaines qui s'arrêtent à Maybury peuvent se le permettre! Question de moyens! Et c'est vrai dans n'importe quel pays!

— Mme Wallace te déplaît, je suis sûre?

— Non, non... Elle est très gentille; mais elle parle un peu pour ne rien dire.

— Cela vaut mieux que de se taire! rétorqua Cathy,

c'est une autre qualité des Américains : ils sont toujours contents, toujours accueillants...

Lucia était suffisamment préoccupée par des problèmes pour n'écouter Cathy que d'une oreille distraite. Elle sauta soudain du coq à l'âne.

— Que dirais-tu si je rentrais avant toi?

La jeune fille ouvrit de grands yeux. Comme elle l'avait fait pour Nicolas, Lucia avança ses arguments. Mais Cathy n'en voulut pas démordre : Lucia ne devait pas la laisser seule. Ce ne serait plus pareil si elle partait. Elle alla même jusqu'à l'implorer de rester. Mais voyant Lucia insister, elle en vint presque aux larmes.

— Si tu pars, je rentre avec toi, s'écria-t-elle, je ne resterai pas à Athènes toute seule... Mais ce n'est pas juste, tu es en train de tout gâcher!

Lucia finit par capituler.

En fin d'après-midi, le Cassandre arriva au Pirée.

Les Wallace faisaient une escale d'une dizaine de jours, avant de mettre le cap sur l'Italie.

— Mais Maisy et Donald rentrent aux Etats-Unis dimanche prochain, expliqua Mᵐᵉ Wallace, pourquoi ne pas fêter ça, un soir, tous ensemble?

Elle s'était tournée vers Nicolas.

— Vous devez connaître Athènes par cœur, monsieur Curzon? Ensuite vous pourriez nous faire visiter ces fameux *bouzoukias*. Ce sont des endroits... vraiment typiques, je crois?

Lucia s'attendait à entendre Nicolas s'excuser, mais au lieu de cela, il accepta avec son plus charmant sourire.

— Avec grand plaisir, madame Wallace; mais à une condition : soyez mes hôtes au Vlachos. L'atmosphère y est... typique, fit-il en butant volontairement sur le mot, et si nous avons fini de souper suffisamment de bonne heure, je vous montrerai le bijou d'Athènes.

— Vraiment? Formidable!

— Bien sûr! acquiesça M. Wallace de bon cœur.

Dans le taxi qui les conduisait à Athènes, Nicolas

demanda à Lucia si elle avait toujours l'intention de repartir le soir même. A contrecœur, la jeune femme dut bien admettre qu'elle avait changé d'avis sous les prières de Cathy. Il ne fit aucun commentaire.

La villa de la cousine de Nicolas se trouvait dans une petite rue du vieux quartier d'Athènes.

Le taxi s'arrêta devant le portail d'un mur peint à la chaux. Nicolas actionna une clochette en fer forgé. Les volets d'une fenêtre s'ouvrirent aussitôt.

— Entrez, entrez, la porte n'est pas fermée, fit une voix de femme.

Nicolas poussa le portail. Derrière, se trouvait une petite cour intérieure plantée en son centre, d'un figuier, et tout le long de la façade, une multitudes de géraniums resplendissaient de toutes leurs couleurs. Sur le pas de la porte, un gros chat noir se chauffait au soleil.

— Nico chéri!... Comme je suis contente de te voir! Il y avait si longtemps!...

La femme enjamba le chat. Elle ne ressemblait en rien au portrait que Lucia s'en était fait, et n'avait rien de commun avec Kyria Katina.

Maria Sioris s'exprimait dans un anglais parfait, et avait l'élégance raffinée de Sophia. Elle avait le plus beau visage que Lucia ait jamais vu.

Nicolas lui prit les mains et les porta à ses lèvres, puis murmura quelques mots en grec. La jeune femme éclata de rire, et lui donna une tape amicale sur la joue. Puis, il fit les présentations.

De prime abord, la femme paraissait très jeune. Elle était en fait beaucoup plus âgée que Nicolas. Lucia s'en aperçut en s'approchant. De fines rides soulignaient la ligne de ses grands yeux bruns, et ses cheveux étaient légèrement grisonnants. Mais le temps n'altèrerait jamais sa beauté; dans vingt ans, elle aurait toujours le même profil de déesse.

Elle fit pénétrer ses hôtes à l'intérieur. Il y régnait une agréable fraîcheur. La pièce principale avait été décorée de meubles d'origines diverses.

126

— Maria est modéliste, expliqua Nicolas, elle possède son propre atelier dans la rue Boukourestiou. Vous pourriez aller vous y promener, demain, mais surtout, n'achetez rien chez Maria : ses modèles sont hors de prix.

Sa cousine éclata de rire.

— Nicolas est très près de son argent! S'il vous accompagne, il vous fera faire des affaires incroyables. Tenez, regardez ça par exemple..., fit Maria en tendant son bras pour montrer un bracelet. Il a réussi à me l'avoir pour à peine deux ou trois drachmes, au marché aux puces!

Elle conduisit ensuite ses hôtes dans leurs chambres respectives. Un bon bain serait le bienvenu après la traversée en bateau.

Nicolas la mit alors au courant de leur rencontre avec les Wallace, et du rendez-vous qu'ils s'étaient fixé le lendemain soir au Vlachos.

— Tu pourrais venir, si tu veux, proposa-t-il.

— Avec plaisir... J'aime beaucoup les Américains. Ce sont toujours de bons clients.

Elle avait donné à Lucia et à sa sœur des chambres séparées. En les y conduisant, elle en profita pour s'excuser de ne pas avoir pu les héberger à leur arrivée à Athènes. Elle était partie prendre quelques jours de repos à Corfou, avant d'entamer la saison touristique.

— Les vacances passent toujours trop vite... fit-elle à regret, mais les vôtres ne sont pas encore tout à fait terminées. Il faut vous amuser jusqu'au bout!

Seule dans sa chambre, Lucia se laissa tomber sur son lit. Trop vite? Certainement pas! Quant à s'amuser jusqu'au bout... Leur hôte se faisait bien des illusions!

S'amuser! Serait-ce encore possible, à présent?

7

Le lendemain matin se passa à faire des emplettes, dans la vieille ville. Lucia voulait rapporter quelque chose aux Sanders. Pour Peter, elle choisit une paire de Tsarouchia, sorte de babouches ornées de petits pompons noirs; pour Janet, elle acheta un sac tissé main avec des motifs de la Grèce antique. Elle rapporta pour sa classe deux figurines : l'une représentait un garde de l'Evzone, vêtu de sa jupette blanche, et coiffé du traditionnel béret rouge aux nattes noires; l'autre : une paysanne vêtue du costume folklorique local.

Maria obtint tout en marchandant. C'était là pratique courante, expliqua-t-elle à Lucia.

— Où se trouvent les boutiques à la mode, demanda Cathy que l'achat de souvenirs n'intéressait absolument pas.

— Dans le Kolonaki. C'est le quartier chic d'Athènes. Mais avant, je voudrais vous emmener au cœur de la ville à Syntagma, dit Maria.

Là-bas, ils prirent une glace à la terrasse d'un café. Nicolas leur montra le fameux Grande-Bretagne, autrefois digne de concurrencer le Savoy.

— Votre père devait le connaître Lucia. C'est le rendez-vous des journalistes et des diplomates, fit Nicolas.

Cette remarque fit sursauter la jeune femme. Il avait évoqué le souvenir de Malcon Gresham au moment précis où elle-même s'était mise à penser à son père, l'imaginant à leurs côtés, à la terrasse de ce café.

— Oui, certainement, répondit-elle un peu brusquement.

Cathy aurait tout acheté, si elle l'avait pu. En se rendant à la boutique de Maria, elle tomba en admiration devant un bijou exposé à la vitrine d'un joaillier. Elle le fit avec une telle insistance que Lucia s'en trouva gênée. Elle n'espérait tout de même pas se le faire offrir par Nicolas!

A la boutique de Maria, Nicolas laissa les femmes entre elles et partit faire un tour. La fraîcheur qui régnait à l'intérieur fut la bienvenue. De grandes jarres blanches avaient été disposées aux quatre coins du magasin, sur un sol en marbre.

Lucia s'assit sur la fidèle reproduction d'une couche dînatoire de la Grèce antique. Il n'y avait aucun client dans la boutique. Maria fit apporter des boissons rafraîchissantes.

Cathy mettait Lucia de plus en plus mal à l'aise. Non contente d'admirer les articles à l'étalage, elle voulut en essayer certains. Le cœur de Lucia se mit à battre. Jamais la jeune fille ne se contenterait d'un essayage! Bientôt, elle réapparut vêtue d'une robe du soir blanche ornée de motifs dorés.

— Fantastique! s'exclama-t-elle, en se regardant dans la glace, je la veux.

— Mais Cathy, protesta Lucia, elle coûte beaucoup trop cher pour toi, et tu as déjà quatre ou cinq robes du soir... En plus, tu as déjà dépensé tout ton argent de poche.

— Mais toi, il doit bien t'en rester?

— Oui... mais pas suffisamment pour payer cette robe.

Celle-ci jeta un rapide coup d'œil sur l'étiquette, puis énonça un chiffre. Cathy poussa un cri de joie.

— Je peux emprunter la somme à Nicolas. Je lui rendrai plus tard... Combien est-ce? demanda la jeune fille en se tournant vers Maria.

— Oui!! J'ai assez! Je pourrai la porter ce soir.

Ceci ne fut pas pour rassurer Lucia. Maria avait sans aucun doute divisé la somme par deux, sinon par trois, ce qui revenait certainement pour elle à vendre la robe à perte.

Les deux femmes étaient retournées dans le salon d'essayage lorsque Nicolas revint à la boutique.

— Tenez, j'ai pensé à vous puisque vous ne l'avez pas fait, fit-il en tendant à Lucia un petit écrin.

Lucia ne bougea pas. Il le lui ouvrit. A l'intérieur, se trouvait un médaillon de nacre sur lequel avait été tracé un motif en or.

— Il vous plaît?

— Oui... mais... bredouilla-t-elle...

— Alors, mettez-le, fit Nicolas en le prenant de l'écrin, et le lui tendant.

— Non... Je vous en prie... Je ne peux pas...

Il fronça les sourcils.

— Et pourquoi?

— ... Parce que je ne peux pas, c'est tout!

Une lueur d'amusement traversa son regard.

— Ne craignez rien... cela ne vous engage à rien!

S'il ne s'était pas moqué, s'il n'y avait pas eu cette contrariété causée par l'incident de la robe, peut-être Lucia n'aurait-elle pas répondu comme elle le fit. Elle n'eut pas sitôt fini d'achever sa phrase, qu'elle commença de regretter ses paroles.

— Vous n'espériez tout de même pas que j'allais accepter un cadeau de votre part! rétorqua-t-elle d'un ton glacial.

Il y eut un silence de mort. Lucia voulut s'excuser, mais aucun mot ne sortit. Quant à Nicolas, il ne manifesta pas la moindre émotion. Son regard resta inexpressif.

Sur ces entrefaites, Cathy revint dans la pièce et ne sembla pas remarquer l'atmosphère tendue qui y régnait; par contre, ses yeux se portèrent immédiatement sur le médaillon de nacre.

— Oh, comme il est joli! C'est pour moi? demanda-t-elle en tendant déjà la main pour le prendre.

130

Le visage de Nicolas reprit son expression détendue habituelle.

— Bien sûr, répondit-il avec un large sourire, il ira parfaitement avec votre teint bronzé.

Ce soir-là, Cathy était particulièrement ravissante. Elle inaugurait sa nouvelle robe. Tout aussi séduisante, quoique dans un style différent, Maria portait un fourreau noir. Sur son épaule droite était jeté un magnifique boa, et un splendide collier de rubis mettait en valeur la ligne de sa gorge.

En les voyant entrer, Nicolas eut un sifflement admiratif auquel vint s'ajouter un compliment bien tourné. A l'arrivée de Lucia, il resta beaucoup plus réservé.

Jamais plus il ne la regarderait de la même façon; Lucia le savait. Elle avait irrémédiablement élevé entre eux une barrière que dorénavant, il ne franchirait plus. Peut-être était-ce préférable ainsi?... Mais en attendant, elle n'aurait jamais cru que l'indifférence de Nicolas la toucherait autant. Sans ses regards, elle retomberait dans le néant qui avait précédé leur rencontre.

On avait, du Vlachos, une vue splendide sur Athènes. On apercevait le Mont Lykabettus et son promontoire, et plus loin, le Mont Hymettus. Jadis, les Grecs avaient surnommé Athènes : « La ville à la couronne de pourpre ». L'expression était aujourd'hui plus vraie que jamais. Le coucher de soleil inondait les pentes du Mont Hymettus d'un halot pourpré dont la beauté était indicible. Même Mᵐᵉ Wallace en restait muette d'admiration.

On avait installé le petit groupe à une table sur la terrasse. Lucia se trouvait à côté de Mᵐᵉ Wallace.

— Je trouve votre sœur vraiment très jolie, Miss Gresham, glissa l'Américaine à l'oreille de Lucia, entre deux bouchées d'un pâté de morue fumée. Mon fils semble d'ailleurs du même avis; il n'arrête pas de la regarder.

Lucia sourit et jeta un rapide coup d'œil au bout de la table. Grant et Cathy riaient aux éclats.

— Elle s'entend très bien avec lui, vous ne trouvez pas? poursuivit Mme Wallace.

La question était pleine de sous-entendus. Lucia se raidit mais sa compagne enchaîna, comme pour la rassurer :

— Oh, je sais... On raconte toutes sortes de choses à propos des Américaines et de leurs fils. Mais elles ne sont absolument pas vraies dans mon cas. Je ne suis pas du tout possessive avec mes garçons et je m'entends parfaitement avec mes brues... Si Grant tombait amoureux, je serais la première à le féliciter.

— Mais n'est-il pas un peu jeune pour songer au mariage? émit prudemment Lucia.

— Non, pas du tout, protesta la mère, il a vingt-quatre ans, vous savez... Et il est très mûr pour son âge...

L'Américaine posa encore toutes sortes de questions à Lucia. Au fur et à mesure de la conversation, celle-ci sentait grandir ses inquiétudes. Jamais il ne lui était venu à l'esprit que Grant ait pu tomber amoureux de Cathy; et non seulement Mme Wallace ne s'opposait pas à cette passion soudaine, mais elle semblait même considérer les fiançailles comme inévitables.

Du bout de la table, Nicolas observait aussi le comportement de la jeune Cathy. Il le faisait avec une telle discrétion que personne ne pouvait s'en apercevoir. Mais à en juger par l'expression de sa bouche, Lucia se demanda s'il arriverait à passer la soirée sans faire de scène.

Du sang grec coulait dans ses veines, et la jeune femme savait par expérience combien ses colères pouvaient être violentes. Cathy ignorait cet aspect-là de Nicolas. Jamais, elle n'avait eu à affronter son regard étincelant; jamais, elle n'avait dû céder sous la poigne de fer de ses longues mains brunes. Elle risquait gros, ce soir, en jouant avec le pauvre Grant qui, lui, était totalement inconscient de la situation.

Le soir, en s'affalant dans son lit, Lucia était épuisée à la fois moralement et physiquement; mais elle ne parvint pas à trouver le sommeil. Tout dansait dans sa tête : le Parthénon éclairé par les lumières de la ville... les suaves senteurs du chèvrefeuille et du basilic mêlées à celles des parfums français et du cigare des hommes... la musique enchanteresse des mandolines, et le rythme entraînant des tambourins...

La soirée s'était finalement bien passée. Il n'y avait pas eu de scène comme l'avait craint Lucia. Apparemment les Wallace s'étaient beaucoup amusés. Nicolas les avait promenés dans les quartiers pittoresques de la ville, et au détour d'une ruelle, ils avaient même eu la chance de voir un groupe de jeunes se mettre à danser sur un air du pays. Ils s'étaient ensuite arrêtés pour prendre le traditionnel verre d'*Ouzo,* et la soirée s'était terminée au cabaret du Hilton.

Par correction, sans doute, Nicolas s'était senti obligé d'inviter Lucia à danser. Probablement trop occupé à observer Cathy et Grant, il n'avait pas ouvert la bouche de tout le slow. Lucia, elle, s'était contentée de regarder droit devant elle.

Le lendemain matin, Maria lui apporta son petit déjeuner au lit. Craignant d'avoir trop dormi, elle s'excusa aussitôt.

— Ne vous inquiétez pas. Il est relativement tôt par rapport à l'heure à laquelle nous nous sommes couchés! répondit Maria en souriant et en déposant le plateau sur la table de nuit. Je vais prendre mon petit déjeuner avec vous, si vous le permettez. Je viens juste de me lever.

Lucia regarda sa montre.

— Il est déjà onze heures! s'exclama-t-elle, Cathy doit encore être au lit?

— Non. Elle et Nico sont beaucoup plus énergiques que nous, ils sont sortis, expliqua Maria. Nico reviendra

vers midi. Cathy est partie visiter l'Agora avec l'Américain. Il en était déjà question, hier soir.

Lucia fronça les sourcils.

— Tiens, je n'ai pas entendu.

— Vous étiez en train de danser, je crois.

Maria s'assit à côté du balcon. Elle portait un cafetan
vert et avait dénoué ses cheveux. Lucia se leva, et alla
se rafraîchir le visage à l'eau claire. Puis elle retourna
se glisser dans son lit et commença à boire son jus
d'orange à petites gorgées.

Elles restèrent silencieuses un long moment.

— J'aimerais bien pouvoir retourner à Marina, commença soudain Maria, je suis bêtement sentimentale, je
sais... Il y a des tas d'autres îles bien plus jolies...
Corfou... Mykonos... Rhodes. Mais aucune ne m'est
aussi chère que Marina... Je n'y ai pas mis les pieds
depuis vingt ans.

Etonnée, Lucia fronça les sourcils. Maria s'en aperçut.

— Ah... Nicolas ne vous a peut-être pas mise au
courant?

Lucia hocha négativement la tête.

— En Angleterre, tout serait oublié depuis longtemps... Mais à Marina, ce genre de choses ne s'oublie
jamais. C'est comme si je n'existais plus pour eux, reprit
Maria à demi-mot.

Elle marqua un temps d'arrêt et laissa échapper un
soupir.

— Oh... Je les comprends, dans un sens. Ce que j'ai
fait n'était pas bien. Mais je n'ai jamais rien regretté et
je ne regrette toujours rien...

— Mais qu'aviez-vous fait? demanda Lucia.

Maria alluma une cigarette.

— Quand j'avais dix-sept ans, mes parents m'avaient
promise à une autre famille de l'île. J'étais déjà fiancée
au fils. C'était une bonne affaire pour eux : ma dot
était infime, et ils n'avaient pas d'argent... Six semaines
avant mon mariage, le bateau d'un Français s'est arrêté

134

au port... C'était un écrivain. Il n'était pas très jeune. Il avait la quarantaine à l'époque. Nous nous sommes rencontrés par hasard, dans la rue; il y a eu un déclic entre nous... J'aurais du mal à expliquer exactement...

— Ce n'est pas la peine; je crois comprendre..., fit Lucia très calmement.

Elle avait eu exactement la même impression le jour où elle avait fait la connaissance de Nicolas.

— Tout s'est passé bizarrement entre nous... Nous avons à peine eu besoin de nous parler. Je le désirais, et il avait aussi envie de moi. Je le savais... Cela me faisait un peu peur, mais je ne pouvais pas m'empêcher de m'en réjouir. C'était si merveilleux... Vous ne pouvez pas savoir!

Lucia ne broncha pas.

— ... Quatre jours avant mon mariage, je me suis enfuie de chez moi et je suis allée voir Raoul en lui demandant de m'emmener avec lui. J'avais vingt ans.

Elle alluma une autre cigarette. Sa main tremblait légèrement. Nous avons connu cinq années de bonheur inoubliable. Nous ne nous sommes jamais mariés : il l'était déjà; mais lui et sa femme ne vivaient plus ensemble depuis longtemps... Et puis un jour, il est mort d'une crise cardiaque.

Un pâle sourire effleura les lèvres de la jeune femme, et des larmes lui montèrent aux yeux.

— Alors voilà... Je suis la damnée de la famille. Nicolas est le seul à venir me rendre visite malgré mes péchés. Il m'est d'un grand réconfort, et puis, il m'apporte des nouvelles de la famille...

Lucia attendit une minute avant de demander :

— Vous aviez seulement vingt-cinq ans quand Raoul est mort, vous n'avez jamais songé à vous...

Elle s'interrompit, honteuse d'avoir été si indiscrète.

— ... A me marier? acheva Maria à sa place. Oh si, très souvent, et ce ne sont pas les occasions qui m'ont manqué... Mais après Raoul, je n'ai plus jamais connu l'amour. Parfois, quand je vois une nouvelle ride apparaître sur mon visage, je regrette de ne pas avoir accepté. Dans ces moments, j'épouserais n'importe qui pour ne pas vieillir seule... Mais cela passe. Et puis, qui sait? J'ai encore le temps...

La vague de tristesse qui avait un instant assombri le regard de Maria disparut pour laisser place à une lueur espiègle.

— ... Attendre le prince charmant à mon âge! Cela doit vous paraître ridicule?

— Pas du tout! protesta instinctivement Lucia, vous êtes très belle.

— Merci, vous êtes gentille, fit Maria en souriant, mais parlons un peu de vous, à présent. Ce séjour n'a pas été une réussite, je crois?

Lucia fut prise de court. Qu'avait raconté Nicolas? Maria avait-elle deviné ses sentiments à l'égard de ce dernier? Comment réagissait-elle face à l'attitude de Cathy?

— N'ayez pas peur de vous confier, cela soulage parfois... Et puis, je suis une excellente confidente, avança gentiment la jeune femme.

Elle semblait si sincère et si compréhensive que Lucia fut un instant sur le point de tout lui raconter. Mais, au dernier moment, elle se ravisa.

— Ne vous sentez pas obligée, surtout. Je ne voulais pas être indiscrète. Je me mêle toujours de ce qui ne me regarde pas. Tiens, voilà Demetrios... coupa-t-elle soudain en voyant son chat entrer.

Sentant Lucia gênée, elle en profita pour changer de conversation. Puis, au bout d'un moment, elle se leva pour se retirer. Mais, avant de partir, elle se retourna :

— Même si cela ne me regarde pas, permettez-moi de vous dire quelque chose, Lucia. Le bonheur de Nicolas me tient autant à cœur que le mien. Je peux parler?

— Bien sûr, répondit Lucia après une hésitation.

Maria s'assit au pied du lit.

— Nico n'est plus un gamin. Il y a eu de nombreuses femmes dans sa vie, vous devez bien vous en douter.

Mais cette fois, c'est sérieux. Il ne me l'a pas dit, mais je l'ai senti. Pour des raisons que je ne parviens pas à saisir, celle dont il est amoureux le fait marcher... pardonnez-moi d'être aussi directe... C'est une idiote.

Lucia croisa les mains nerveusement.

— Mais s'il l'aime, pourquoi ne le lui dit-il pas? Pourquoi ne lui demande-t-il pas de l'épouser?

— Lucia, ne me dites pas que vous connaissez aussi peu les hommes! coupa sèchement Maria. Ils sont comme les femmes. Ils ont de l'amour-propre. Pourquoi dévoileraient-ils leurs sentiments s'ils sont sûrs que celle à laquelle ils s'adressent se moque d'eux comme de l'an quarante?

— Mais, fit Lucia sans regarder son interlocutrice, vous semblez bien le connaître... A-t-elle une chance de le rendre heureux? Sont-ils vraiment faits l'un pour l'autre?

— Rien n'est parfait dans la vie. Même mon union avec Raoul ne l'était pas puisque nous ne pouvions pas avoir d'enfants...

On devinait un certain regret dans la voix de Maria. Après une pause, elle reprit :

— Ils sont certainement faits l'un pour l'autre; mais c'est à elle de l'encourager... Connaissant Nico comme je le connais, un mot suffirait... un seul.

Lucia resta dans son lit bien après le départ de Maria. Cette dernière avait-elle raison? Etaient-ils vraiment faits pour s'entendre? Maria connaissait Nicolas, certes, mais connaissait-elle Cathy? Peut-être était-elle très perspicace, mais en attendant, elle n'avait pas deviné les sentiments de sa jeune sœur pour Nicolas.

Si seulement j'étais sûre qu'ils soient heureux ensemble! songeait tristement Lucia qui ne cessait pas de se tourmenter. Mais je n'en suis pas sûre... pas sûre du tout, se répétait-elle inlassablement.

Cathy et Grant revinrent peu avant une heure de l'après-midi. Sans demander l'avis des autres, Cathy lui proposa de venir visiter le Parthénon avec eux, le soir même. Le jeune homme ne se fit pas prier. Il repasserait les chercher vers huit heures. Enfin, il prit congé.

C'était l'heure de la sieste. Lucia en profita pour se glisser dans la chambre de Cathy. La chaleur était écrasante, et la jeune fille était assise devant sa coiffeuse, en culotte et soutien-gorge.

— Puis-je t'emprunter ton vernis à ongles? J'ai fini le mien, commença Lucia après être entrée.

— Vas-y. Sers-toi, il est là, fit la jeune fille, en tendant le menton.

Elle avait entrepris une tâche, oh combien délicate : ôter ses faux cils.

— Tu es sortie, ce matin, Lucia?

— Non, je suis restée au lit très tard. Maria est venue me voir. Nous avons parlé un moment.

— Je me demande pourquoi elle n'est pas mariée? Elle est jolie, pourtant...

Il y eut un long silence. Soudain, Lucia prit la parole :

— Tu as toujours l'intention d'épouser Nicolas? demanda-t-elle.

Cathy était à présent en train d'enlever la fine couche de colle qui tenait ses faux cils. Sans discontinuer, elle demanda à son tour :

— Pourquoi me poses-tu cette question?

— Parce que si c'est le cas, tu ferais bien d'arrêter de flirter avec Grant. Nicolas t'aime. Je l'ai entendu le dire à sa sœur, à Marina. Mais si tu continues à te faire remarquer avec Grant, il ne te le dira jamais.

Cathy leva le menton.

— Eh bien, tant pis! Il n'avait qu'à se décider plus tôt... Il est trop tard, maintenant!

— Quoi? Tu veux dire... Ce n'est pas possible, Cathy. Il t'aime! Il t'aime vraiment!... s'écria Lucia en ouvrant de grands yeux.

Cathy resta très calme.

— Ça lui passera... Tu avais raison : il est trop vieux pour moi... Et puis, je ne sais pas si c'est le fait d'être

138

tombé amoureux de moi, mais il est devenu plutôt
ennuyeux. Il aurait mieux fait de ne pas changer.

Lucia se mit en colère.

— Et tu vas le laisser tomber?... Pour cette espèce de
grand nigaud?

Cathy poussa un soupir d'exaspération.

— Et voilà... ça recommence! C'est après Grant que
tu en as, maintenant! En fait, tu es jalouse parce qu'il
n'y a jamais eu aucun homme dans ta vie... et tu
n'accepteras jamais que je me marie. Ce n'est pas la
haine qui te pousse, mais la peur!... la peur de rester
toute seule, comme une vieille fille! Oh!

Lucia venait de la gifler.

Elles s'affrontèrent un instant du regard; puis, inca-
pable de contrôler un tremblement nerveux, Lucia sortit
de la pièce en titubant.

Au lieu de retourner dans sa chambre, elle se dirigea
vers la porte sans trop savoir où elle allait, et sortit.
Dans la chaleur de cet après-midi torride, elle marcha,
marcha toujours plus loin, traversant des places dé-
sertes, s'engouffrant de ruelle en ruelle. Le peu de
passants qu'elle croisait se retournaient sur son passage,
effrayés par ses yeux hagards et son visage défait. Une
seule chose comptait : elle devait avancer... avancer,
toujours; et surtout, ne pas pleurer...

— Lucia! Où étiez-vous passée? s'écria Maria en se
levant d'un bond quand la jeune femme eut poussé le
portail... nous étions tous morts d'inquiétude! Regardez-moi. Comme vous êtes pâle!...

— Où diable étiez-vous passée? fit en écho la voix de
Nicolas, mais beaucoup moins aimable.

Lucia ne s'attendait pas à les trouver tous les deux et
avait espéré pouvoir remonter dans sa chambre inaper-
çue. Nicolas réitéra sa question, sans prêter attention au
regard plein de reproches de sa cousine.

— Je suis allée me promener, répondit Lucia.

— Vous promener!... En pleine canicule! Vous êtes

complètement folle! Tout le monde fait la sieste à cette heure-là! Regardez-moi ça, vous ne tenez même plus sur vos jambes!

— Nico était très inquiet. C'est pour cela qu'il n'est pas content, expliqua Maria pour la réconforter.

— Je n'étais pas le seul, rappela-t-il sèchement.

— Je suis désolée, bredouilla Lucia, je ne voulais pas vous causer tous ces soucis. J'ai marché, et puis je me suis perdue. Si cela ne vous fait rien, je vais aller me changer.

— Oui, et puis prenez un bon bain, conseilla Maria. Je vais envoyer Elli vous monter à boire... du champagne, peut-être... il n'y a rien de tel pour calmer les nerfs, ajouta-t-elle, en jetant un regard oblique à Nicolas.

En arrivant dans sa chambre, Lucia se regarda dans la glace, et à ce moment-là seulement, apprécia l'ampleur des dégâts. Son visage et son cou étaient en eau, sa robe lui collait à la peau, et ses cheveux pendaient lamentablement... Cependant, elle avait retrouvé son calme, et sa folle envie de pleurer était passée. Elle ne ressentait plus qu'une extrême lassitude.

Elle prit un bain et se changea. Elle était en train de se brosser les cheveux lorsqu'elle entendit un grattement timide à sa porte. C'était Cathy. Celle-ci attendit la permission de Lucia pour entrer. Une fois dans la pièce, elle resta debout devant la porte, à tripoter son bracelet de montre.

— Lucia, je regrette pour tout à l'heure, commença timidement la jeune fille... je ne le pensais pas...

— Ce n'est rien. N'en parlons plus.

— Quand je t'ai vue quitter la maison, j'ai eu peur... que tu fasses une bêtise. Je ne t'avais jamais vue dans un état pareil.

— Je désapprouve totalement ton comportement... Mais à quoi bon en reparler? Je perds mon temps avec toi. A présent, laisse-moi seule, veux-tu?

— Oh, Lucia! Pardonne-moi... Pardonne-moi, je t'en

prie. Je ne voulais pas faire toutes ces histoires. Avant de rencontrer Grant, je ne savais pas à quel point l'amour était important, je te le promets... Je l'aime, je l'aime... je t'assure que c'est vrai, ajouta la jeune fille, en voyant le regard peu convaincu de sa sœur.

— Et la fortune de ses parents n'y est pour rien, je suppose?

— Pour rien, je te le jure! S'ils étaient pauvres, ce serait exactement la même chose. Grant est différent des autres... Il ressent la même chose pour moi. Nous voulons attendre l'automne prochain pour nous fiancer.

— Et... il ne s'est pas posé de questions à propos de Nicolas?

— Oh... J'ai dit que Nico était un vieil ami de la famille, répondit Cathy en rougissant.

Soudain, ses grands yeux bleus s'élargirent.

— Tu ne vas pas aller tout lui raconter, n'est-ce pas? fit-elle d'une voix épouvantée.

— Moi? Non. Mais Nicolas?... Pour l'instant, il se tait, mais cela ne va pas durer. N'oublie pas qu'en ce qui le concerne, tu lui appartiens toujours.

Cathy s'assit sur le bord du lit et commença à se lamenter.

— Que vais-je faire? S'il parle, tout est gâché!

Elle se tourna vers sa sœur et tenta son ultime chance.

— Tu pourrais peut-être...

— Pas question! Prends tes responsabilités. Tu as jusqu'à dimanche pour parler à Nicolas. Mais, si j'étais toi, je laisserais Grant en dehors de tout cela. On ne sait jamais, tu pourrais encore changer d'avis...

— Tu ne me crois pas, n'est-ce pas?

— Je crois simplement qu'il est encore un peu tôt pour être sûre de quoi que ce soit... Maintenant, laisse-moi finir de me préparer.

Ils dînèrent dans un petit restaurant dont la spécialité était les crustacés. Maria avait invité l'un de ses amis. Plein d'humour, il ne cessa d'amuser la compagnie avec des anecdotes diverses sur les touristes américains. Grant lui-même en avait les larmes aux yeux.

Cathy, cependant, n'eut pas son entrain habituel.

— Quelque chose ne va pas? lui demanda Grant.

— Non, non, s'empressa-t-elle de répondre, en jetant un rapide coup d'œil à Nicolas.

Heureusement, celui-ci n'avait rien entendu. Il bavardait avec sa cousine.

Grant se rapprocha un peu plus, et prenant la jeune fille par la taille, lui murmura quelque chose à l'oreille. Au lieu de glousser et de faire ses yeux de biche comme elle l'aurait fait la veille, Cathy jeta au malheureux un regard noir et impérieux. Dérouté, le pauvre garçon la lâcha aussitôt.

Après le dîner, ils allèrent voir le Parthénon. Les spectacles son et lumière ne commenceraient qu'en juin, mais quatre soirs par mois, quand la lune était pleine, l'Acropole était ouverte aux visiteurs jusqu'à minuit. De l'avis de Nicolas et Maria, c'était le meilleur moment de la journée pour aller la visiter.

Lucia s'était peu à peu habituée aux majestueuses pierres de taille; mais, en franchissant le seuil, elle ne put s'empêcher d'être intimidée, à l'idée que des centaines de siècles auparavant, des hommes comme Périclès, Socrate, Euripide, et Hippocrate l'avaient précédée.

Trois d'entre eux connaissaient bien l'Acropole, les trois autres ne l'avaient jamais visitée. Tout naturellement, trois groupes se formèrent. Tout à fait par hasard, Mikailis se retrouva avec Grant, Maria se chargea de Cathy, et Nicolas servit de guide à Lucia.

Des blocs de pierres, usés par les ans, se détachaient des piliers, et jonchaient le sol. Nicolas aida Lucia à les enjamber. Il la touchait probablement pour la dernière fois, songea-t-elle.

Au cours de la visite, il aborda brièvement le problème de Sophia et de son mari. Il avait reçu une lettre de sa sœur. Tout allait bien de ce côté-là. Ce furent ses propres termes. Lucia nota l'allusion, mais ne fit aucun commentaire.

Lucia avait déjà lu plusieurs ouvrages sur l'Acropole, mais aucun d'eux ne l'avait préparée au spectacle fascinant qu'offraient ces imposantes colonnes sous la lumière argentée du clair de lune.

Mais bientôt, l'atmosphère écrasante de ces lieux divins la plongèrent dans des méditations peu réjouissantes. Des personnages illustres avaient défilé ici; cependant, ils n'étaient plus que des ombres, aujourd'hui, que des fantômes. Et elle? Qu'était-elle dans tout cela? Un grain? Une errance? Une solitude sans destinée? Quel sens avait sa vie? Soudain, Lucia eut envie d'une présence, d'une voix, d'une main pour la réconforter... Mais il n'y avait à côté d'elle que cet être froid et distant : Nicolas.

Pour leur dernière journée, ils décidèrent d'aller pique-niquer au Mont Hymettus. Cathy s'était forcée à les accompagner et s'ennuyait à mourir.

— Je vais me promener. Y a-t-il des amateurs? demanda soudain Nicolas.

Il s'adressa à Cathy, puis à Maria, puis il jeta un coup d'œil interrogateur à Lucia, par correction sans doute.

— Non merci, répondit-elle, je vais faire un somme.

— Comme vous voulez, fit-il.

Il haussa les épaules, et s'éloigna.

Lucia entendit Maria claquer sa langue.

— Qu'y a-t-il? demanda Cathy.

— Rien, rien... Un insecte m'a piquée, se contentat-elle de répondre, d'une voix irritée.

En rentrant à la villa, ils trouvèrent Grant dans le jardin. Il venait leur proposer de sortir. Maria déclina gentiment son offre. Lucia en aurait bien fait autant, mais Grant, Cathy et Nicolas ne semblaient pas pouvoir tenir en place, ce soir. Elle accepta donc.

Le dîner ne fut pas une réussite. Nicolas ne fit aucun effort pour le rendre agréable. Lucia n'avait aucun appétit. Cathy manquait d'entrain et jetait sans cesse des coups d'œil inquiets vers Nicolas. A la fin du repas, elle sortit de table pour aller se poudrer le nez. Grant la regarda s'éloigner, en la buvant littéralement des yeux.

— Nous pourrions peut-être nous séparer, pour le dernier soir, proposa-t-il soudain... Vous avez autant envie que nous de passer le reste de la soirée en tête à tête amoureux, je suppose?

Il marqua un temps d'arrêt et eut un petit sourire amusé, puis reprit :

— Les Anglais cachent bien leur jeu tout de même! Je ne m'en serais jamais douté, si Cathy ne m'avait pas mis au courant.

Interloquée, Lucia resta à le regarder, bouche bée. Très calme, Nicolas demanda :

— Et... au courant de quoi?

— Eh bien... que vous et Lucia éprouviez l'un pour l'autre les mêmes sentiments que Cathy et moi, répondit le jeune homme, soudain embarrassé. Vous ne lui en voulez pas de me l'avoir dit, n'est-ce pas? Mis à part moi, personne ne le sait, c'est promis...

Lucia ne savait où se mettre. Ses joues étaient cramoisies. Elle osait à peine se tourner pour voir la réaction de Nicolas.

Parfaitement inconsciente de ce qui venait de se passer, Cathy réapparut à cet instant précis, et se rassit après avoir décoché à Grant un large sourire.

— Vous avez raison, Wallace... Nous allons nous séparer. Vous n'y voyez aucune objection, Lucia? fit soudain Nicolas en se levant.

La jeune femme était interdite. Comment arrivait-il à rester aussi calme? Aucune colère, aucune émotion ne se lisait sur son visage. C'en était même inquiétant.

— Non... non, répondit-elle vivement, cela m'est égal.

Elle n'avait qu'une envie : s'en aller au plus vite.

— Mais où allez-vous? Que se passe-t-il? demanda Cathy qui n'y comprenait plus rien.

Nicolas s'approcha d'elle, lui prit le menton, et, la regardant droit dans les yeux lui dit :

— Décidément, vous ne saurez jamais garder un secret...

— Quel secret? balbutia la jeune fille.

— Eh bien... A propos de Lucia et moi...

Cathy blêmit. Son regard était implorant. On y lisait à la fois l'effroi et un évident sentiment de culpabilité. Allait-il tout révéler à Grant? Celui-ci saurait-il qu'elle avait menti et triché?...

Derrière eux, Lucia retenait sa respiration. Mais elle n'éprouvait aucune pitié pour sa sœur. S'il parlait, c'était tant pis pour elle. Elle l'avait bien cherché.

Cependant, à son immense soulagement, Nicolas garda le silence. Il lâcha le menton de Cathy et s'écarta.

— Ce n'est pas grave, fit-il enfin... Je ne vous en veux pas... Vous êtes prête, Lucia?

Dans sa précipitation à quitter les lieux, Lucia se cogna contre une chaise et fit tomber son sac à main. Il le lui ramassa aussitôt.

— Merci, bredouilla-t-elle entre ses dents.

Puis, après avoir réglé la note et échangé quelques mots avec le patron, ils se retrouvèrent dans l'obscurité de la nuit noire.

— Vos chaussures sont confortables? Vous pouvez marcher un moment? demanda-t-il, en se tournant vers elle.

Lucia fit signe que oui et, côte à côte, ils s'éloignèrent du restaurant. Au bout d'un moment, Nicolas s'arrêta, et sortit une cigarette. Ses mains tremblaient si fort qu'il eut du mal à l'allumer.

8

Lucia sentit son cœur se serrer. Elle éprouvait une immense compassion pour lui ce soir. Elle aurait aimé pouvoir l'aider, le réconforter, mais c'était impossible. Il ne lui restait plus qu'à se retirer. Elle lui proposa donc de prendre un taxi, prétextant la fatigue. Comme ils arrivaient à un carrefour important, Nicolas n'eut pas de mal à en trouver un. Mais au lieu de refermer la portière derrière elle, comme elle l'avait escompté, il monta à ses côtés.

— Non, non... Ne vous inquiétez pas pour moi. Je peux très bien rentrer seule... Indiquez juste l'adresse au...

— Je veux rentrer aussi.

Il s'adressa en grec au chauffeur, se cala confortablement dans la banquette et tourna la tête vers le carreau.

Plusieurs minutes s'écoulèrent avant que Lucia ne s'aperçoive que le taxi n'avait pas du tout pris la direction de la villa. Elle se tourna vers Nicolas, mais il regardait toujours par la fenêtre. Elle ne comprenait pas : elle lui avait donné une chance de se débarrasser d'elle, et il ne l'avait pas saisie. Pourquoi? Inquiète, elle choisit de garder le silence.

Enfin, le taxi s'arrêta devant un grand parc. Nicolas la fit descendre et paya la course. Puis, la prenant par le bras, il se dirigea vers la grille.

Des promeneurs flânaient déjà le long des allées

principales. Pour les éviter, il s'engagea dans un petit sentier peu éclairé. Ils passèrent un petit pont, et se retrouvèrent bientôt dans un endroit reculé du parc. Au centre jaillissait un adorable jet d'eau. Sans prévenir, Nicolas s'assit sur un banc, non loin de là. Il alluma une seconde cigarette. Cette fois, ses mains ne tremblaient pas, mais on le sentait encore crispé.

Au bout de cinq minutes, Lucia rompit le silence.

— Je suis désolée pour ce qui est arrivé...

Il ne répondit pas immédiatement. Ses yeux étaient fixés sur le jet d'eau. Lorsqu'il se décida enfin à parler, Lucia n'en crut pas ses oreilles.

— Eh bien pas moi... Je commençais même à désespérer !

— Mais !... s'exclama Lucia.

— Oui..., répéta-t-il, je commençais même à désespérer...

Il laissa tomber sa cigarette et l'écrasa du talon. Puis, il ôta sa veste.

— Tenez... Mettez ça sur vos épaules, vous allez attraper froid, fit-il en la posant sur le dos de la jeune femme... A mon avis, Cathy et Wallace vont très bien ensemble, poursuivit-il, et elle est folle de lui.

— Mais, vous l'aimez !... Vous vouliez...

— Ma pauvre Lucia, je me moque pas mal de votre sœur... Et si vous n'aviez pas été là, il y a belle lurette que Cathy et moi ne nous serions pas revus.

— Mais..., s'exclama à nouveau Lucia, non Nicolas, qu'essayez-vous de me faire croire ? Vous aimez Cathy, je vous ai entendu le dire à Sophia, l'autre jour.

— Vous m'avez entendu... Quand ? Mais où, enfin !

Il avait froncé les sourcils. De façon évidente, il ne comprenait absolument pas. Lucia lui raconta. Alors, il éclata de rire.

— Grands Dieux ! Quel méli-mélo ! C'était de vous dont il était question, et non de Cathy ! Sans votre fichue loyauté, je vous aurais demandée en mariage depuis je ne sais combien de temps !

Les doigts de Nicolas se resserrèrent sur les épaules de la jeune femme.

— Vous ne comprenez pas?... Je vous aime, Lucia Gresham... Je vous aime!

Non, ce n'était pas possible! Elle rêvait! Elle avait abusé du vin au restaurant! La chaleur la faisait délirer!

— Vous m'aimez, n'est-ce pas? demanda Nicolas.

Puis, sans attendre de réponse, il prit la jeune femme dans ses bras, et l'embrassa.

Ce baiser n'avait rien d'un rêve. Il était à la fois tendre et passionné.

— Oh oui, vous m'aimez, fit-il visiblement heureux, inutile de me dire le contraire, vous venez de vous trahir, mon amour...

— Oui, je vous aime... depuis toujours. C'était plus fort que moi...

— Je sais. Je vous ai toujours attirée, mais de là à ce que vous m'aimiez...

— Toujours attirée?! Vous ne manquez pas...

— Allez, soyez honnête... C'est la vérité. Et moi, dès notre deuxième rencontre, j'ai eu envie de vous embrasser... comme ceci... et puis comme ça aussi... Vous aussi, d'ailleurs...

— Alors pourquoi ne pas avoir essayé si vous en étiez si sûr?!

— C'est ce que j'ai fait sur l'île!... Mais quel fiasco! J'ai eu l'impression d'avoir une statue dans les bras!

— J'avais de bonnes raisons! On ne m'avait encore jamais embrassée comme cela... Et puis, il y avait Cathy. J'avais déjà honte de m'être laissé faire; s'il avait fallu, en plus que j'y prenne plaisir... C'était pire...

— Vous aviez trop de scrupules. Tout le problème était là. Si Cathy et moi avions été fiancés, j'aurais compris... Mais nous ne l'étions même pas!

— Et comment aurais-je pu savoir si vous l'aimiez ou non? D'abord, j'ai cru que vous n'étiez pas sérieux et puis, quand j'ai vu que vous nous invitiez toutes les deux en Grèce, j'ai douté. Vous avez tant insisté pour que je vienne... et puis un jour, vous m'avez dit que Cathy n'aurait plus rien à craindre avec vous... que vous aviez changé.

Nicolas passa doucement sa main sur la joue de la jeune femme.

— J'aurais été plus explicite, si j'avais su... Je voulais dire qu'il n'y avait plus rien entre Cathy et moi... En fait, il n'y avait jamais eu grand-chose... Je l'ai embrassée en tout et pour tout une fois, vous me croyez?

Lucia glissa ses bras autour du cou de Nicolas.

— Mon amour, cela n'a plus aucune espèce d'importance, à présent... Tu m'aimes, c'est la seule chose qui compte...

A ces mots, Nicolas la prit dans ses bras, et la serra très fort contre son cœur, puis il posa passionnément ses lèvres sur celles de Lucia.

— Rentrons, fit-il enfin, sinon j'aurais vite fait d'oublier que nous ne sommes pas encore fiancés... Quand nous marions-nous? La semaine prochaine?

— Chéri, s'exclama Lucia en riant, c'est impossible! Je dois prévenir l'école... Et puis, il y a Cathy. Je ne peux pas la laisser seule du jour au lendemain!

— Oublie-la un peu! Elle nous a causé suffisamment d'ennuis! Elle pourrait vivre à l'hôtel.

— Bien sûr... admit Lucia, mais alors, que ferions-nous de la maison? Il y aurait des tas de choses à voir. Non... vraiment, c'est impossible!

Nicolas prit le visage de la jeune femme entre ses mains, et plongea son beau regard brun dans celui de Lucia.

— Tu n'es pas sûre? Tu as besoin de réfléchir? demanda-t-il doucement.

La nuit était claire. Lucia pouvait lire dans ses yeux comme en plein jour. Ils s'étaient rétrécis et la regardaient intensément. Les ombres accentuaient la fine ossature de ce visage marqué par l'expérience de la vie. Elle avait tant à apprendre de lui. Cependant, une chose était sûre : elle l'aimait comme elle n'avait jamais aimé. Ils connaissaient la même passion que Maria et Raoul avaient dû éprouver l'un pour l'autre.

— Marions-nous demain, si tu veux... murmura-t-elle.

Il répondit au désir de la jeune femme en déposant sur ses lèvres un langoureux baiser.

— Non, tu as raison. Nous attendrons l'été. Je prendrai mes dispositions, et nous pourrons partir au mois d'août. Viens, allons annoncer la nouvelle à Maria.

En route, ils s'arrêtèrent devant la vitrine d'un bijoutier. Bientôt, ils devraient choisir leurs alliances. Lucia préférait être là pour choisir la sienne. Elle servirait de frein aux extravagances de Nicolas. Ses mains n'étaient pas assez belles pour supporter un bijou trop voyant, précisa-t-elle. Sa modestie fit bondir Nicolas. Mais tout se termina par un baiser et des éclats de rire.

Comme ces instants étaient doux! songea Lucia, en rentrant. Comment avait-elle pu, un jour, détester l'expression amusée qui brillait dans le regard de cet homme. Elle l'avait toujours mal interprétée, mais elle avait eu tort. Il ne fallait pas toujours tout prendre au sérieux. Elle avait été injuste de le juger si vite.

Dans la chambre de Maria une lumière brillait encore. En voyant leurs deux mines réjouies, la jeune femme comprit aussitôt. Elle était visiblement enchantée.

— Vous vous êtes enfin décidée à suivre mon conseil? fit-elle, en s'adressant à Lucia.

— Quel conseil? coupa Nicolas avant que l'intéressée ait eu le temps de répondre.

Croyant avoir pris une part importante dans les événements, Maria raconta sa conversation avec Lucia. Mais lorsque celle-ci lui annonça qu'il y avait eu malentendu, elle ouvrit de grands yeux.

— Nicolas amoureux de Cathy? Il fallait être aveugle! Il n'avait d'yeux que pour vous!

Nicolas jeta à Lucia un regard à la fois tendre et moqueur. Lucia comprenait vite, mais il fallait lui expliquer longtemps!!

En se regardant dans la glace de la coiffeuse, la jeune femme se trouva métamorphosée. Le meilleur des maquillages illuminait à présent son visage : le bonheur.

Ils entendirent une voiture s'arrêter devant le portail. Quelques minutes plus tard, Cathy montait les escaliers en essayant de faire le moins de bruit possible. Nicolas l'appela, et lui demanda de venir les rejoindre. Légèrement mal à l'aise, après la scène du restaurant, elle ouvrit de grands yeux quand Maria lui fit part de la nouvelle.

— Nico et toi?... Ce n'est pas possible!

Un instant, Lucia craignit que, voyant Nicolas lui échapper, Cathy ne veuille le reconquérir. Mais la première surprise passée, la jeune fille poussa un immense soupir de soulagement. Les choses s'arrangeaient aussi pour elle! Cet égoïsme était légitime, finalement!

De retour en Angleterre, Lucia ne vit pas le temps passer. Comme l'été aurait été monotone si les choses s'étaient déroulées différemment, se surprit-elle à penser.

Plusieurs fois par semaine, Nicolas l'emmenait au restaurant, au théâtre, au cabaret... Un soir, fatiguée par ce train de vie encore inconnu, elle lui proposa de passer la soirée chez lui en amoureux.

— Tiens, tiens... je croyais que les jeunes filles bien élevées ne devaient pas monter dans l'appartement d'un célibataire, fit-il, taquin.

— Quand elles sont fiancées, c'est différent.

— Erreur! Le danger est dix fois plus grand! s'écriat-il en l'embrassant dans le cou, il est beaucoup plus sage de passer la soirée dehors. D'ailleurs, profites-en.

Cette belle vie ne durera pas indéfiniment. Quand il y aura le bébé, tu pourras t'estimer heureuse si je t'emmène au restaurant une ou deux fois par an!

Lucia éclata de rire. Elle s'en moquait. Etre à ses côtés... toujours... Cela seul comptait!

— Cathy a beaucoup changé, annonça un jour la jeune femme, elle ne sort plus, et passe son temps à répondre aux lettres de Grant. Ils se fianceront certainement en septembre... quand les Wallace viendront nous voir.

Juillet s'écoula. Lucia attendait les vacances avec la même impatience que les enfants. Le dernier jour, ses collègues et sa classe lui offrirent un joli service à café. Emue par cette gentille attention, elle les remercia vivement.

Lorsque, pour la dernière fois, elle traversa la cour de récréation, Nicolas l'attendait derrière la grille.

— Que fais-tu là? demanda-t-elle, surprise.

— J'ai pensé que tu n'aimerais pas être seule...

Pour la première fois de la journée, Lucia eut un pincement au cœur.

— Tu es si gentil avec moi... Je te promets de tout faire pour te rendre heureux.

Ils montèrent en voiture. Des enfants agitèrent la main en signe d'adieu. Lucia leur sourit. Puis, se calant confortablement contre la banquette, elle tourna son regard vers celui que, quelques mois plus tôt, elle avait haï de toutes ses forces, pour l'avoir jugé trop vite. Dans quarante-huit heures — un siècle — elle serait Mme Nicolas Curzon. Alors, elle se rappela cette nuit glaciale de février où, dans un état de dépression intense, elle était rentrée à pied du cinéma. Dorénavant, l'avenir n'avait plus rien d'angoissant : elle ne l'affronterait plus seule.

Harlequin Romantique
la grande aventure de l'amour

Le secret du roman d'amour...

On a l'âge de son esprit, dit-on. Avez-vous jamais songé à vérifier ce dicton?

Lisez donc les romans de notre toute nouvelle série,

Harlequin Romantique

Chacun de ces romans vous apporte ...

- *des intrigues énigmatiques*
- *le dépaysement des pays lointains*
- *la sincérité de personnages passionnés*
- *la splendeur de l'amour vrai*

Harlequin Romantique
la grande aventure de l'amour

AVEZ-VOUS DÉJÀ LU CES TITRES
DANS HARLEQUIN ROMANTIQUE?

1 UN INCONNU COULEUR DE REVE d'Anne Weale
Dans ses rêves d'adolescente, Sophie avait trouvé grisant de tomber aux mains d'un séducteur impitoyable. Elle découvrait aujourd'hui que ce genre de situation n'était pas de tout repos.

2 ENTRE DANS MON ROYAUME d'Elizabeth Hunter
C'était incroyable! Ils avaient tous l'air de croire à Demis Kaladonis! Emily aurait voulu pouvoir croire aussi en lui, mais les souhaits ne transforment pas les rêves en hommes véritables. Et pourtant...

3 NAUFRAGE A JANALEZA de Violet Winspear
Toute sa vie ou presque, le père de Venna avait cherché des trésors. Quand il disparaît au Brésil, sa fille n'a qu'une pensée: le retrouver. Mais la cruauté du sort l'a livrée au pouvoir de l'étrange Roque de Braz Ferro...

4 LES NEIGES DE MONTDRAGON d'Essie Summers
Cendrillon moderne, Penny avait toujours dû accomplir les tâches les plus ingrates de la famille, assumer les pires responsabilités. Maintenant elle se révoltait. Désormais elle serait libre et heureuse. Mais l'amour viendra tout bouleverser...

6 LA CHANSON CRUELLE de Mary Burchell
Alix Farley, qui se croyait orpheline, apprend que sa mère n'est nulle autre que Nina Varoni, la célèbre cantatrice. Alix veut vivre auprès de sa mère mais pour la Varoni, c'est la gloire seule qui compte...

7 DE SOUPIRS EN SOURIRE de Jane Corrie
Tammy en a assez de la tiédeur de ses relations avec Jonathan, bel homme qui veut l'épouser. Elle part travailler en Australie, le temps de réfléchir. Bien que son patron la traite avec arrogance et mépris, elle éprouve une inexplicable attirance pour lui. Saura-t-elle résister à cet amour sans lendemain?

8 TAHITI MON AMOUR de Rebecca Caine
Tina mène une vie paisible sur une île paradisiaque avec son père qu'elle adore. Et soudain, le rêve s'évanouit... Tina est déchirée tour à tour par un chagrin d'amour et par la disparition mystérieuse de son père. Désemparée, saura-t-elle trouver l'appui dont elle a besoin?

AVEZ-VOUS DEJA LU DANS HARLEQUIN ROYALE...

1 SOPHIE ET LE PRINCE de Sylvia Sark
Après la mort de son père, la jeune Sophie Johnson, contrainte
à travailler, part pour la Russie comme gouvernante des filles
du Prince Pierre Rasimov. La vie au palais lui réserve bien
des surprises...

2 LE CHEVALIER NOIR de Marguerite Bell
Juliet cherche à démasquer le fameux Chevalier Noir, bandit de
grands chemins, qui offre galamment une rose aux voyageuses
qu'il détrousse. Mais ne risque-t-elle pas d'être prise à son
propre piège?

3 L'ETRANGER DEVANT LA PORTE de Frances Lang
Le frère de Clémence de Frainville est exilé depuis de
longues années. Aussi la jeune fille trouve-t-elle naturel
de ne pas le reconnaître en cet étranger qui vient frapper à
la porte du château. Mais pourquoi l'oblige-t-il à rompre
ses fiançailles?

4 LE DRAME DES SAINT-CLAIR de Valentina Luellen
Babette Saint-Clair se rend aux fêtes du Mardi-Gras à la
Nouvelle-Orléans, à l'insu de son père. Son identité est
cependant découverte par le séduisant Grant Tyler,
qu'elle quitte, sans un mot d'explication. Grant le lui fera
payer cher...

Ces titres sont disponibles chez votre dépositaire.

Collection
Harlequin!

Entrez dans le monde merveilleux d'Harlequin! Chacun de nos romans vous rappellera le doux plaisir d'aimer, l'éblouissement de votre premier amour. Venez voyager avec nous dans un pays où l'amour règne en maître, où les beaux sentiments défient tous les dangers, triomphent de tous les obstacles.

L'amour renaît sans cesse, l'amour est partout avec...

Tout un monde d'évasion!

Tous les mois chez votre dépositaire.

Avez-vous déjà lu,
dans la Collection Harlequin...

Avez-vous déjà lu,
dans la Collection Harlequin...

Avez-vous déjà lu, dans la Collection Harlequin...

Ces titres sont disponibles chez votre dépositaire.